Collection dirigée par Jean-François Poupart

Titres déjà parus dans cette collection :

Morsures de Terre,
Jean-François Poupart, 1997.

Vestiges d'une pensée multiforme,
Daniel Guilbeault, 1997.

J'ai laissé au diable tes yeux en pourboire,
Fernand Durepos, 1998.

Les Crimes du Hasard,
Stéphane Despatie, 1998.

Rue Pétrole-Océan,
Tony Tremblay, 1998.

Les nouveaux poètes d'Amérique,
Robbert Fortin, 1998.

N'être,
Thérèse Renaud, 1998.

Taille directe,
Simon Richer, 1998.

L'angle atroce,
Stéphane Surprenant, 1999.

Des pissenlits au paradis,
Danny Rhainds, 1999.

Québec Parano,
Daniel Guilbeault, 1999.

Nietzsche on the beach,
Jean-François Poupart, 1999.

La Dérive des Méduses,
Kim Doré, 1999.

Désordres, peyotl et autres mélanges,
Nicolas Dumais, 1999.

La nuit dans l'œil,
Philippe-Jonathan Côté, 2000.

Germania,
Luc Archambault, 2000.

UTOPIE DE LA MATRAQUE

DU MÊME AUTEUR

La Communion des morts, roman, Les Éditions des Intouchables, 1998.
Germania, Les Éditions des Intouchables, 2000.

LUC ARCHAMBAULT

Germania :
Utopie de la matraque II

LES INTOUCHABLES

Poètes de brousse

Les Éditions des Intouchables bénéficient du soutien financier de la SODEC, du PADIÉ et sont inscrites au Programme de subvention globale du Conseil des Arts du Canada.

LES ÉDITIONS DES INTOUCHABLES
4674, rue de Bordeaux
Montréal, Québec
H2H 2A1
Téléphone : (514) 529-8708
Télécopieur : (514) 529-7780
intouchables@yahoo.com

DISTRIBUTION :
Diffusion Socadis
350, boulevard Lebeau
Saint-Laurent, Québec
H4N 1W6
Téléphone : (514) 331-3300
Télécopieur : (514) 745-3282

Impression : AGMV Marquis
Infographie : Yolande Martel
Maquette de couverture : Stéphanie Hauschild

Dépôt légal : 2000
Bibliothèque nationale du Québec
Bibliothèque nationale du Canada

Germania : utopie de la matraque
poésie

ISBN 2-89549-006-6

III

Retour et déchirement

Être accueilli dès l'atterrissage par l'internationale médiocrité qu'est Mirabel, fleuron des délires bureaucratiques d'antan. Visages ô combien sympathiques des douaniers. Rien à déclarer ? Quel serait le formulaire approprié pour exprimer maximalement le mépris que je vous porte ? Voyage d'affaires ou d'agrément ? Escapade apocalyptique, cher émissaire du labyrinthe gouvernemental. Quelque chose de valeur dans vos bagages ? Rien, sauf mon amour empaillé de finitude. Mon deuil intérieur profond. Une crevasse vers l'abîme[1], ni plus ni moins. C'est bon, bienvenue au pays des mille et une faillites.

Mes parents qui m'attendent, sans avoir rien à me dire. Je les dévisage, doutant presque de ma filiation génétique. Rouler sur des autoroutes encombrées de termites. Filer à toute allure direction banlieue/pourtour indigeste de beigne cimenteux à la Dunkin des Nuts. Arriver à destination, lieu vaguement familier, quitté seulement neuf mois auparavant. Même absence de goût, même plébéitude. Les boîtes à savon s'alignant autour des centres de consommation effrénée. Je crois à un cauchemar. Je me pince jusqu'au sang, mais mon hémorragie émotive m'a rendu exsangue. Pas de réveil, seulement l'effroi[2].

En guise de premier repas, du poulet plastifié et des frites caoutchouteuses. La sacro-sainte tivi, dont je n'avais qu'entrevu l'existence

1. « Les mots sont absents. Ils le tourmentaient. Il les voulait tous ensemble et tour à tour. Les uns le recherchaient ; il en poursuivait d'autres. Il se résignait à celui-ci pour regretter celui-là. Il reste le désir d'un seul. Un seul dont il a en lui la forme. Il le voit, reflet d'une idée ensevelie. Il tire de cet éloignement la leçon d'une lecture ou d'un voyage. » Bruno Gay-Lussac, *L'heure*, Paris, Gallimard, 1979, p. 51.

2. « Le premier Archon de la voie du milieu est celui qu'on nomme l'Aliéné ; c'est un Archon à forme de femme, dont la chevelure tombe à terre sur ses pieds ayant vingt archidémons sous sa puissance, lesquels commandent à d'autres multitudes de démons qui sont entrés dans les hommes pour les faire mettre en colère, maudire, calomnier ; et ce sont eux qui enlèvent les âmes frustrées afin de les envoyer dans leur fumée ténébreuse et leurs châtiments mauvais. » *Pistis Sophia*, *op. cit.*, p. 189.

en de rares occasions durant l'exil, m'explose au visage, saveur gaz moutarde. La saga cancérigène du René à cinq cennes[3] attise les larmes de ma rnôman. Ne pas trop converser, il pourrait se dire quelque chose d'insipide. Vaut mieux se rassasier des balivernes des téléfantômes. Eux, au moins, savent penser tout haut ce que la populace rote toute seule. La lune dans le caniveau. Right on! Bon retour au pays des merveilles, monsieur l'éternel insatisfait.
Un chausson avec ça?

3. Sorte d'ange cheap? Communion en tranches de smoked meat?

BLUTSVERGIFTUNG[4]

Mon cœur bat ton absence
Vainement il t'espère
Tu ne sais que t'éloigner
Mes jours se sont vidés de toute substance
Insignifiance, insignifiance
Les minutes s'amassent mais ne mènent à rien
La douleur reste sourde
Déconnexion brutale d'hémorragie existentielle
Je me vide l'âme à t'invoquer

La solitude comme antidote
Électrochoc du postmoderne déconstruit
Ne plus savoir à quel saint se vouer
Je rêve de ta Gestalt enivrante
M'abreuver de tes créations en toute volupté
Mais je suis seul
Horriblement esseulé
Abandonné par l'hymen mort-né d'hier
Gouffre sans fond, pluie d'acide[5]

Partout se dressent les barreaux de ma geôle
Présent s'éternisant de froideur
Comme si le temps cherchait à s'arrêter
Fixer mon moignon infatué dans la cangue d'un réel fou
Réclusion illimitée faute de l'espoir d'un renouveau
Et pourtant tu possèdes la clé de l'énigme
Vainement je t'adore[6]

4. Paralysie faciale asymétrique.

5. « Le travail permanent sur vos obsessions finira par vous transformer en une loque pathétique, minée par l'angoisse ou dévastée par l'apathie. Mais, je le répète, il n'y a pas d'autre chemin. Vous devez atteindre le point de non-retour. Briser le cercle. Et produire quelques poèmes, avant de vous écraser sur le sol. Vous aurez entrevu des espaces immenses. Toute grande passion débouche sur l'infini. » Michel Houellebecq, *op. cit.*, 1997, p. 25-26.

6. « En définitive, l'amour résout tous les problèmes. De même, toute grande passion finit par conduire à une zone de vérité. À un espace différent, extrêmement douloureux, mais où la vue porte loin, et clair. Où les objets nettoyés apparaissent dans leur netteté, leur vérité limpide. » *Ibid.*, p. 26.

Pathétisme du rêveur impénitent
Hectolitres de larmes sur l'épaule de l'indifférence

Tout me semble factice à l'ombre de l'éclipse
Désarticulation des gestes automates
L'étrangeté prenant racine dans l'interstice du décalage horaire
Borner l'espace interplanétaire des débris de notre amour
Quelle heure est-il en ton cœur refermé ?
J'arbore un visage purifié de dévastation
Anonymat sacrificiel
Me suis librement offert en oblat à ta lame
Ma poitrine évidée reste béante

Condamné à me remettre au diapason malgré l'âpreté totalitaire
Descente aux enfers sans billet de sortie
Sens unique du rouleau compresseur
Usiner l'existence insensée
Travail à la chaîne des citoyens-automates
Mon âme vient en cancer face à la liesse de l'appartenance
À quand la lobotomie salvatrice[7] ?
Je cherche en vain l'astre qui guidait mes pas
J'erre en marge de l'ère glaciaire me possédant

L'avenir décérébré s'annonce tellement prometteur
Mastiquer les bords de cervelle inutile
Mes gestes se calculent en détachement zen
Hara qui rit d'un sourire édenté sur mon disque dur

7. « Osier du pigeonnier
Folle féerie des pilotes basanés
Eurrie du dample qui soufflète le cajot
Décimale
Dimension esseulée où ramone équerre et pavot de salvi
Unjambe et ostrogoth des syllabes épelées
Ivre nivor
Ortie des piles hydaires
Osier Outre
Nœud nazi des glouttes bayadères ».
Claude Gauvreau, « Saison post-épilée », tirée d'« Étal mixte », *op. cit.*, p. 236.

Le voile du Temple s'est déchiré de haut en bas
Impossibilité de revenir en arrière
Désacralisation athée jusqu'au Saint des Saints
Plus que pillage et incendie dans la tempête brève
Dépouiller le vieil homme de son âme superflue

Ne plus être qu'un simulacre
Répondre au gré de l'interlocuteur
Toujours sourire, béat de politesse
Contrôle de l'émotif en barrage hydroélectrique
Je suis heureux, ne me voyez-vous pas souffrir ?
Nivellement d'affect et exécution des séquelles d'insomnie
P'tit train-train quotidien va forcément loin dans l'Abject
I am the egg-man and I can't cry anymore[8]
Interchangeabilité des masques extatiques de fausseté

Mon cœur bat malgré ton absence
Bien qu'il ne sache plus t'espérer
Tu n'es qu'éloignement infranchissable
La douleur se métastasie
Incompréhension aveugle
Les semaines s'amassent mais ne mènent à rien
Difficile de trouver un sens au gâchis
J'implose face à l'inacceptable
N'ai plus de force pour t'invoquer

8. Je nage dans le banc de sardines, ma face de plâtre figée en une platitude.

◈

À quoi bon, puisqu'il est déjà trop tard. Puisque le ciel s'est renouvelé cinquante millions de fois depuis la rupture. Puisque son cœur rythme la gangrène. Plus rien à espérer que de guérir en silence, malgré et en dépit de la souffrance, aussi profonde soit-elle.

Mais je cherche son ombre
Sa chaleur me manque durant les nuits froides de canicule
Je ne lui manque pas
Elle se targue de me le répéter, à chaque conversation
Ces conversations qui s'espacent de plus en plus
Elle est encore à l'autre bout du monde et pourtant elle me semble si près
Lorsqu'elle reviendra, elle sera si lointaine
Comme si je ne la connaissais plus
Se perdre en route alors que tout semblait filer au-delà de l'horizon
Arrêt brutal
Retour psychotique, réveil au purgatoire[9]
Réveil ici, maintenant, précision maniaque en manque de lithium
Regarder s'écouler une à une les secondes creuses
Submergé par la nausée
Vomir la fadeur des jours de limbe
Que reste-t-il de moi
Ma carcasse vidée de cet amour parasite
La liberté n'a aucun sens
La liberté n'existe pas dans notre univers carcéral
Un mythe à crucifier et à vénérer avec nostalgie
Pureté cristalline de la fureur de vivre
Ma flamme vacille dans la tourmente
J'attends les tribulations promises en guise de délivrance
Disney World pour flagellants[10]

9. « Non, non, mes frères, ne nous y trompons pas, fuyons, ou nous nous mettons dans un grand danger de nous perdre. Tous les saints ont fui, méprisé et abandonné le monde toute leur vie. Ceux qui ont été obligés d'y rester y ont vécu comme n'y étant pas. Combien de grands du monde l'ont quitté pour aller vivre dans la solitude ! » Jean Baptiste Marie Vianney, *op. cit.*, vol. 3, p. 135.

10. « Vous avez tout compris maintenant. Vous ne dormez plus, comme autrefois, dans les palais des riches, dans les demeures des gens célèbres et dans les somptueux

Je roule, je file sur les autoroutes mortuaires à la recherche du corbillard qui voudra bien me prendre en charge, me conduire jusqu'à la fosse commune de la plèbe dégénérée et m'y effacer de chaux vive. M'enligner sur un poteau de téléphone et le percuter à 175 km/h, déchiqueter ce corps encombrant, éparpiller mes tissus et cellules sur l'asphalte crevassé, gracieuseté du ministère des Transports. Et ainsi nourrir la populace en mal de Bonne Nouvelle, voler la vedette au Canadien en cette saison morte, première page du Journal des Chiens Écrasés. Poivrer de Nietzsche une feuille de chou fondée par un nietzschéen enragé. Vive la révolution, pourvu qu'elle rapporte. Hein, Pierre-Karl ? Ride on, man !

Vol éthylique pour atténuer la douleur, cette maudite douleur, ma nouvelle compagne. Plonger tête première dans l'eau bénite, la boire comme si ce n'était que de l'eau (erreur !), faire mon imitation de mec sur la bum, père de la merveille disparue, lointaine, restée dans l'enfer teuton. Et je pèse mes mots en qualifiant l'Allemagne d'enfer, moi qui aurai rêvé de l'Utopie moderne, après les ravages fascistes et la schizophrénie de la guerre froide. Mais l'Allemagne, et l'Europe à sa suite, sera devenue un Eurodisney ultracapitaliste, la perte d'âme postmoderne réellement, physiquement incarnée[11], non comme les USA mass-culture, mais comme l'exclusion en véritable mode de vie. Quel espoir nous reste-t-il si le bastion même du socialisme, voire du communisme, succombe au matérialisme le plus vil, celui se nourrissant de l'aspiration de tout un chacun à la « bonne vie », au confort, aussi cancéreux soit-il. Des commerces à profusion, desservant les moindres fluctuations de classe sociale. À chacun son kitsch ! À chacun ses bébelles techno-débiloïdes, à chacun sa spécificité reprogrammée à l'infini. L'identité à la carte, selon les lignes directrices du marché.

Une autre gorgée de fiel, tenter d'effacer six heures de décalage, avant que la merde fesse les pales du ventilateur. Que notre cuculture délaisse sa mcdonaldisation[12] et se déhanche à l'infini selon les lignes

hôtels de la ville. Même chez vous, vous n'avez plus envie d'y retourner. Vous préférez traîner dans les gares, dans les stations de métro, près des stades. En hiver, vous passez la nuit sous un pont, sous le portail d'une église, rarement dans une loge de concierge. En été, vous dormez sur les bancs du parc ou sur les marches des édifices publics. » Matei Visniec, « Le clochard », *op. cit.*, p. 122.

11. En chantant *Une colombe est partie en voyage* à la putain pontificale.

12. L'avènement des trios comme matérialisation de la sainte Trinité.

de production mini-max maxi-min. Microéconomie et/ou macroéconomie. Le village global qui s'étend comme du vomi grumeleux de lendemain de brosse de cabane à sucre. Tu m'entends, Toi, ma muse? J'ai perdu, oui, moi, le rêveur idéaliste, celui qui, intérieurement, grâce à sa foi, gardait espoir, oui, j'ai perdu tout espoir. Je n'attends plus que la délivrance de l'Apocalypse, que les trompettes des archanges sonnant le début des tribulations, le début du carnage. Malgré mes deux filles, mes deux incarnations de l'Amour. Je n'attends plus que la fin des fins, que l'Oméga, car l'Alpha est poussiéreux, l'orage gronde, l'averse veut diluer les larmes et inonder les rêves. Je me noie lentement, je manque d'air, je me meurs, sans Toi, loin de Toi. Je ne veux vivre sans Toi. M'entends-tu?

Mais non, elle se cache à Stuttgart, à mille milles kilomètres de l'Amazone, un centre à la mode tout en décadence, tout en modernité post ou pré, comment s'entendre. Viva la révolution! Il faut raser les vestiges de la tradition, il faut exterminer la racaille qui entend nous gouverner. Déclaration finale assortie d'un plan d'action. Recommander ou non les questions épineuses des partages du savoir. Existe-t-il un savoir traditionnel, en marge du scientisme moderne? Mais la défavorisation reste thalidomidique. Les déclarations sont vides de réflexions. Il faut maintenir le statu quo. Sans aucune concession. En complète rupture avec les accords de désarmement de l'est de la Turquie. Zara ou la mère noire, fusillade après la condamnation pour haute trahison de Radio-Canada. L'information libre de toute propagande. Bonne fête Canada, bonne fête Québec. Vive la poutine au sirop d'érable! Que je suis fier de figurer sur la liste électorale des décérébrés. Et hop! je lévite...

MENSCHENMATERIAL[13]

L'acide pauvreté ronge la ville
Vie s'érodant par faillites en chaîne
Même la verdure se dessèche
Lorsque le cœur se vide de sa sève nourricière
Les applaudissements fantômes des rassemblements de masse
Militantisme en prêt-à-porter[14]
Jetable après usage bien sûr
On ne recycle les slogans conjurant le vide

Abattre la besogne l'âme pacifiée
Bonheur en prescriptions d'affects téléromanisés
La vie ne tient plus qu'au fil du câble
Boîte de rêves opiacés[15]
Nul besoin de curés pour s'aliéner en toute quiétude
Rien à attendre sinon la suite aseptisée
Même heure même poste sur Amorale-Tv
Épilepsie salvatrice des consommateurs-nés la plogue bien profonde

Société d'insectes asociaux
Pulluler tout en s'ignorant l'un l'autre
Dignes héritiers des philosophies nihilistes
Même les Lumières ne surent luire après Guillotin[16]
Devrait-il rester quelqu'espoir hors de la termitière de l'interchangeable
Nul maquillage clownesque ne viendra embellir l'Abject

13. Portes tournantes de l'économie à gogo.

14. « La crise d'Octobre avait fait entrer le Québec dans les années soixante-dix/quatre-vingt. Le Pouvoir, quant à lui, tirerait rapidement la leçon de son propre jeu en laissant sa structure de domination se moderniser. La voie était libre pour les vingt prochaines années. La classe moyenne n'avait plus qu'à prendre la place que l'État-providence lui aménageait. Par dizaines de milliers, les ex-sympathisants de la crise d'Octobre obtiendraient leur permanence assortie de conventions collectives « avant-gardistes ». » Jacques Cossette-Trudel, *op. cit.*, p. 42.

15. Il ne faut surtout pas négliger le fait que la publication québécoise la plus lue demeure le *TV-Hebdo*, et qu'on se le dise !

16. « Malgré l'aspect *civilisé* du mode d'exécution pondu par ce grand philanthrope qu'était Joseph Ignace Guillotin (1738-1814), médecin de formation, sa création *démocratisa* le supplice capital, et transforma la cruauté humaine en une question mathématique, statistique, sans pour autant l'éliminer. » Caghan Ebügen, *op. cit.*, 1991.

Se regarder dans la glace et vomir tout fiel
Bénédiction quotidienne pour les sans-abris du téflon

Beauté de l'uniformisation des régiments blafards
Attraper l'ébola de la Dion[17] en minijupe
Apparence trompeuse de l'Apocalypse implosive
Orbiter le trou noir de notre imaginaire à carte or
Créditer le vide des chaînes nous asservissant
Bravo, Ronald, tes burgers remplissent les bols around the globe
We are the World and don't give a flying fuck[18]
Patience des masques calfeutrant notre stupeur

Les chants funèbres ne savent se taire
Préprogrammés par des commanditaires sans scrupules
Entonner l'hymne national de la bêtise fédérale
Le serpent séparatiste se mord la queue
Justice pour un peuple à la recherche de son âme
Quelques arpents de neige à éclabousser d'insignifiance
Mon pays ce n'est pas un pays c'est l'enfer
Asile de la pureté au royaume du botchage

17. « Céline Dion, alias "le Grand Mal" (d'origine inconnue ; des rumeurs apeurées laissent soupçonner une génération spontanée). Dernière-née des Mini-Fées hallucinogènes, dépendantes de mutilations périodiques au scalpel. Seul effet positif : elle incarne le dernier rempart protégeant l'humanité de l'invasion de la Terre par des puissances extraterrestres. » Caghan Ebügen, *op. cit.*, 1997.

18. Quel privilège que d'appartenir à la race des Seigneurs ! Et pourquoi pas ? « Ensemble, merci au chef, nos applaudissements, nous lui disons merci. Ladies and gentlemen together let's thank magnificently. Bravo ! Et maintenant, as president of the Beaver Club, may I say to you the following : never any club has been so honoured and so magnificently rewarded on its 200th anniversary to have such a magnificent membership as you are. À vous tous, nos membres, à nous tous, applaudissons-nous. We are magnificent people and I raise my hat to all of us. Bravo. You are as beautiful as I think I am. Thank you very much. » Pierre Falardeau, *op. cit.*, p. 18.

◈

Deux amis perdant simultanément leur père, cancers, phase terminale, lymphome chez l'un, poumon chez l'autre, métastases un peu partout, la chair est si faible. Que dire de l'esprit, du moral des proches, des survivants, voyant une partie d'eux-mêmes qui crève sans qu'on puisse rien y changer, l'impuissance totale face à l'agonie, lente et puante, douleur par-dessus douleur, le corps refusant de se laisser emporter sans que toutes les énergies qui l'animent se libèrent en convulsions d'Horrible. Accepter la mort et l'accueillir comme une libération, facile à dire, mais bien malaisé à supporter, surtout face à un visage aimé rongé par la fièvre de la finalité. Comment dire adieu à des dizaines d'années de partage, comment mettre un terme à ce qui semblait indéfini, indéfinissable, à ce qui semblait normal et stable, meublé de hauts et de bas, mais qui néanmoins s'inscrivait à titre de valeur sûre, source de stabilité et d'amarre ? Et le dernier souffle, en râle morphinomane, en délivrance, refroidissement du corps, rigor mortis, tout est consommé. Là où les sympathies ne suffisent pas.

– Il faut amasser toutes les anecdotes avant qu'elles ne se perdent, les rédiger dans un grand recueil, ne rien omettre.

– À quoi bon ?

– Personne ne vit en vain. Afin de reconnaître l'apport particulier de tout un chacun.

– Inutile. Complètement inutile. Il faut savoir habiter l'éphémère, s'en nourrir, s'en faire une raison, un moteur nous poussant à aller de l'avant.

– Cours de morale 101 ?

– Non, simple idéalisme. Simple humanisme.

– L'appel du Sublime, ja ? Le Pop Art comme glu liant l'univers ?

– Oui, le retour du Sauveur s'est matérialisé à New York. The Factory. Les conserves de soupe Campbell en guise d'hosties. Marylin en couleurs acryliques. L'artifice et la brute réalité.

– Sans oublier les montagnes de poudre blanche et de cassonade...

– Faut savoir décrocher, se distancer afin de maximiser l'embrasement du panorama.

– Les lions affamés massacrant les chrétiens au Colisée de Rome, scène si impressionnante au défunt musée de cire canadien sur Queen-Mary.

– Dire que ce haut lieu de la cuculture a fait place à un restaurant végétarien.

– Faut garder espoir, car même l'irrécupérable peut être appelé à servir. Imagine ce qu'on pourrait faire d'un vieux Steinberg débordant de banalité ! Tant de potentiel étourdit le mythologique postmoderne.

– Quel nihilisme !

– « Du pain et des jeux ! », réclamèrent les moujiks au tsar dépassé par les événements.

– « Mais ils peuvent manger du gâteau ! » dit-elle à ces importuns.

– Des mains douces et manucurées trahissent l'exploiteur, des mains calleuses l'exploité.

– Combien de morts fit la guerre civile ?

– Jusqu'à ce jour ? Certainement trop peu. « Tant que les hommes vivront d'amour… »

– Dieu a tant aimé le monde qu'il lui a donné son fils unique.

– Connu comme Barabbas dans la Passion.

– L'amour rend aveugle et fou. Vivement l'absinthe comme ersatz.

TOTALER KRIEG[19]

Insurrection du rejeté par les bâtisseurs
Saigner du fiel de l'esseulement amoureux
La haine me transporte au pays des espoirs déchus
République démocratique de la dégénérescence totalitaire
Où puis-je fuir la haine me poursuivant
Les concerts de tondeuses me poussent à la folie
Mon asile campagnard résonne de ses éclats de joie
Mais elle n'est plus à mes côtés
Elle me hante en malédiction intransigeante

Regimber jusqu'à l'enfer mécanisé des temps modernes
Je demeure prisonnier de mes rêves déconfiturés
Berlin n'est qu'une chimère passagère
Comment être heureux à l'ombre de l'infortune
M'arrache les dents une à une en signe de contrition
Fouetter jusqu'au sang ma chair qui la réclame
Maladie incurable, cancer de l'âme
Devenir athée par lobotomie à froid ?
Je ne saurai mourir qu'au bout de mes souffrances

Mes fronts sont enfoncés de tempêtes intérieures
Rien ne vaut la passion empoisonnée
Déchiré jusqu'au faîte de mes délires
Orchestration magistrale d'un Götterdämmerung létalisé
La solitude demeure implacable sous les cieux asphaltés
Je ne rêve plus qu'en boulevards Taschereau abjects[20]
Errer parmi les spectres normalisés
M'ouvrir les veines afin d'expier ma négligence teutonne
Boire à la coupe de mon vinaigre pénultième

19. Guerre totale sans aucune merci, câliss !

20. « En faveur de l'opium. L'opium anti-mondain. Sauf chez quelques personnes actives et d'une santé débordante, l'opium supprime toute mondanité. » Jean Cocteau, « Opium », *op. cit.*, 1995, p. 672.

Désert de l'anonymat
Être branché et ne rien recevoir
Popularité circonstancielle[21]
Laisser pourrir le cadavre
Qui se soucie de moi sous la lune nouvelle
Lumière du monde vacillant au grand vent
Bordure du gouffre
Appel éthylique de l'oubli houblonné
Douleur, douleur, pourquoi m'avoir fécondé ?

Limbes de l'éternel recommencement
Alors que je croyais avoir décelé la voie salvatrice
Tout s'écroule en l'Espagne de mes châteaux forts
Je ne sais bluffer aux cartes
La mise était faussée au bout d'une corde, cuvée 89
Aucune chance à l'ombre du deuil de l'Omniprésent
La passion s'amenuise au frottement spiritiste
Mais le temps n'en finit plus de filer hors de contrôle
Se séparer à jamais un soir de juin aux limites de l'étrangeté

Depuis, calme plat au royaume des morts
Grèves à gogo et négociations poutinées
Mégapole en but lointain
Évasion des sens et abaissement des perspectives
Le Nirvana se gagne à la sueur gaspillée[22]

21. « Quand on nous parle de conquérir le pouvoir par un processus électoral, notre question est toujours la même : si un mouvement populaire s'empare du gouvernement en gagnant un large vote populaire et décide de commencer les grandes transformations sociales qui forment le programme, ne se trouvera-t-il pas immédiatement en conflit avec les classes réactionnaires du pays ? » Ernesto Che Guevara, *Le socialisme et l'homme*, Paris, François Maspero, 1967, p. 30.

22. « Le parallèle se prolonge avec les règles déjà examinées concernant l'abattage des animaux. L'Humain n'était pas originellement destiné à se nourrir de chair animale. Pour autant qu'il s'est engagé dans une telle voie, il lui est interdit, comme on l'a vu, de consommer le sang de l'animal qui est la source de sa vie. De même, lorsque l'homme s'engage dans des opérations de guerre, il ne doit pas les transformer en chaotisation de l'univers, et parfois en surchaotisation du chaos initial, dont il ne pourrait finalement plus s'excerpter non plus, et qui ne tarderait pas à le happer. » Raphaël Draï, *L'économie chabbatique*, Paris, Fayard, 1998, p. 396.

Attendre en vain l'appel en coup de cœur
Les reptiles ne savent composer
Que reste-t-il sinon des espoirs calcinés
Arrachement de la fleur en profonde plaie ouverte

Dansons, bâtards de la Nouvelle-France
L'opprobre éclate au grand jour des perséides
Cocktails Molotov sur l'apathie intellectuelle
En rang d'oignons pour l'exécution mitraillée
En finir une fois pour toutes avec la complaisance des Elvis
Souriez pour mon'onc l'exterminateur
La terre tremble sous vos embouteillages intestinaux
Liquidation du surnuméraire
Savoir accepter son sort en tendant la nuque

Les tumeurs métastatiques gagnent les quatre coins de l'horizon
Bientôt seule l'euthanasie[23] sera recommandable
Morphine injectée par doses d'insipide
Perdre ses êtres chers sur des lits immaculés d'indifférence
Enterrements plastiques et monuments à entretenir
Y porter des rocs lourds de souvenirs à délaver[24]
Combien de correspondances entre les Riches Lieux et la Côte enneigée ?
Perdre la foi aux abords du Sublime
Plus qu'à attendre l'Apocalypse pour se réinventer

No man's land du rien qui vaille
Si facile de se laisser aspirer par le néant
En cette terre de basse expectative et d'espoir tronçonné
La révolte m'est sourde sous l'hiver de mes désillusions
Déclencher les hostilités alors que l'ennemi se camoufle

23. « L'homme séparé de son produit, de plus en plus puissamment produit lui-même tous les détails de son monde, et ainsi se trouve de plus en plus séparé de son monde. D'autant plus sa vie est maintenant son produit, d'autant plus il est séparé de sa vie. » Guy Debord, *op. cit.*, p. 17. Et l'on sait fort bien qu'à ce petit jeu, il n'y a guère de recyclage ou de filet de sécurité, l'on glisse tout doucement vers son cercueil ou son urne (selon sa volonté propre de pourrissement).

24. Une roche pour symboliser la calcification de la piété filiale.

Thérapie s'inspirant des meilleurs cataclysmes
J'attends, l'arme à la main, que se déclenchent les tribulations
Je serai sans pitié aux lueurs des incendies planifiés
Écartez-vous de mon chemin, je suis maintenant la Mort insatiable

◈

L'espoir qui s'envole en fumée alors que le monde tire à sa fin, alors que la nature s'insurge et se rebelle contre la pullulation (même pas un néologisme !) humaine, cette espèce virale à deux pattes sans trop vraiment de cervelle. Incapable de projection à long terme. Non, il vaut vivre dans la foi asservie aux multiples infaillibilités, qu'elles soient religieuses, scientifiques ou politiques. Il faut attendre que l'ordre soit donné avant de se mettre en mouvement, et entre-temps siffloter les airs de propagande des Céline artificielles[25]. Nous voguons sur L'Insubmersible, aveugles aux icebergs nous entourant. La félicité des simples d'esprit.

Peut-il exister encore un Chambala, un jardin d'Éden, un quelconque asile ? N'y a-t-il que le déni total du bouddhisme qui ait un sens pour les chercheurs de Lumière ? Ou avance-t-on dans une noirceur totale, dans l'abject de l'Absurde camusien ? Peut-être devrait-on vraiment tout faire sauter, éparpiller nos cendres pestiférées avant que l'on se mette à métastasier l'univers visible et invisible. Tant d'innocents sont déjà sacrifiés quotidiennement aux autels de nos délires. Nous ignorons tout respect et toute sainteté, nulle règle que nous ne puissions enfreindre, puisque tout demeure négociable au plus offrant. Ne sommes-nous que le no man's land du choc titanesque que se livrent le Bien et le Mal ?

Mon père, j'ai péché, j'ai perdu toute foi en l'Humanité.
Je sais, mon fils. Vous n'êtes pas le seul.
Je ne vois que décombres où les masses jubilent d'allégresse.
Je ne vois que ruine où l'on inaugure des monuments grandiloquents.
Revenez dans l'Amour du Christ[26], mon fils.
Le Crucifié est mort en vain, mon père.
Ressaisissez-vous, mon fils. L'Église saura panser les plaies de votre âme.

25. Qui sortent des têtes des gérants hydrocéphales en quête de pucelle à marier.
26. Alias Bozo le Clown.

Je ne veux les panser, je veux les dilater jusqu'à en extraire mon âme, je veux quitter cette pitoyable enveloppe charnelle et communier à l'immensité de l'Univers !
Hérésie, mon fils. La voie du Salut[27] s'écarte de vos divagations.
Combien de Notre-Père pour expier mon hérésie ? Une frite avec ça ?
Allez dans la Paix du Christ et rendez grâce à Dieu, qu'il vous accorde la miséricorde de son Amour infini.

Le confessionnal se referme comme une huître, rien de plus à tirer des mangeurs d'hosties. Il devient de plus en plus difficile de trouver des interlocuteurs conscients des chaînes nous asservissant, presque impossible de briser les œillères et de passer outre les préconceptions suicidaires du prêt-à-consommer. La religion des centres à la mode se répand inexorablement, de pair avec la misère qui doit fouiller dans les bacs à ordures (même ceux comptant quatre-vingt-dix crédits) pour récolter sa maigre pitance. Et, pour pousser l'ironie, les ordures commencent à être sous haute surveillance, cadenassées, surtout pas partager ne serait-ce que la moindre parcelle d'immondices ! Qu'ils travaillent, les pouilleux et les charognards, qu'ils acceptent de coudre des souliers pour un millième du prix de vente dans des conditions abominables. La civilisation en marche ! Vive l'utopie des cartes platines, yeah !

27. Le boulevard Talbot.

VERNICHTUNG DURCH ARBEIT[28]

Quel âge as-tu que je t'exploite
Je lis dans ton regard la soumission nécessaire
Il me faut nourrir l'ogre de ma rapacité
Négrier postmoderne
Tes parents t'ont vendu pour un bol de riz
Souris aux caméras des relations publiques
Tu es heureux, et tiens-toi le pour dit

Mourir chacun son tour
La seule justice éternelle
Que m'importe ta vie en haillons
J'habite le meilleur pays du monde[29]
Je ne connais que les récriminations des ventres pleins
« Partage » est un mot tabou
À moins d'être déductible d'impôt
Charité bien ordonnée commence par soi-même

Les fers disparaissent lorsque l'esclavage ironise
Regarder la réalité disparaître en Newspeak bureaucratique
Droits de la personne en chimère tiers-mondiste
Vagabondage du progrès à sens unique
Dénoncer sur tous les toits les imposteurs politiques
Les médias collaborent avec le pouvoir
Asile de la pureté désinfectée[30]
Nécrologie d'allusion des procès d'intention

28. La chaîne de montage comme matérialisation de la Grande Roue de la Vie.

29. Dommage qu'il n'ait ni nom ni âme.

30. « Ne vous déterminez de vous-même à rien. Attendez que les ordres du ciel vous soient manifestés. Ce qui fait nos ténèbres dans les affaires de Dieu, c'est qu'on se laisse préoccuper de quelque dessein qui n'est pas purement selon le désir de Dieu. Ce dessein est à l'esprit ce qu'une taie est à l'œil ; il y met de l'obscurité ; et quand une fois les ténèbres se sont répandues dans l'esprit, les passions ne manquent point de glisser dans le cœur. On ne peut mieux remédier à ce mal qu'en se dénuant sans cesse de tout dessein et de toute prétention pour envisager seulement Dieu dans la pureté de son service, ne désirant, ni ne craignant rien que pour le pur intérêt de Dieu. Toute la force de l'âme consiste dans ce dénûment de tout, hors de Dieu. » Jean-Joseph Surin, *op. cit.*, p. 692.

L'armée des ténèbres[31] défile à chaque heure de pointe
Crachant ses malédictions en métaux lourds sublimés
Se taire face aux injustices étrangères
Les toiles de l'Olympe se déchirent à la une
Limpidité de la décérébration
Minuit moins cinq sous le tropique du Cancer
Traitement choc à l'orée de la chaux vive
Perdre la voix avant de perdre la raison

Jusqu'où se creuse le fossé nous séparant
La passion se perd en chaîne de montage
Les experts défendent la nature de la discrimination
Bilan des destructions et endettement général
Exhiber les cadavres des guérilleros maoïstes
Tuer sans pitié la théologie de la Libération
Asservir et exploiter d'un même souffle éternel
Peuples à genoux devant la putain moribonde

Théâtre de la Cruauté live on CNN[32]
En appeler aux troubadours de la vache folle
Cannibalisme en conserve
Qu'importe les famines non télévisées
Grains de sable d'une plage ensanglantée
Les dindes se font bronzer en teintes de mélanome
Mutisme intégral jusqu'à la pleine lune de juillet
Les obèses en bikini gloussent de bourrelets[33]

31. « « Mais peut-être que je suis vraiment un homme-poubelle », vous interrogez-vous étonné, dans un moment de solitude. » Matei Visniec, « L'homme-poubelle », *op. cit.*, p. 66.

32. En direct au Canal Nuisible des Nobliaux.

33. Devrait pouvoir se passer de commentaire, mais ce cher Visniec d'en remettre : « La définition de l'homme, dites-vous ? Un morceau de viande qui dévore toute la viande qui pousse autour de lui, voilà la définition de l'homme. La définition de la viande, alors ? Moi ! Je suis un morceau de viande qui pense à la viande qui m'entoure. Le bonheur en ce monde c'est que chaque variété de viande a son goût et son parfum. Je ne pourrais pas vous dire quel rapport intime j'ai eu avec moi-même quand j'ai essayé pour la première fois ma propre chair. » Matei Visniec, « Le mangeur de viande », *op. cit.*, p. 82-83.

Le décompte est commencé pour le siècle de l'indigence
Rêves du Mali[34] évanouis en bordure de la marde liquide
Peiner à créer un monde meilleur
Comment garder courage tant l'horreur s'ubiquise
Sourire aux ruptures de stock
Cœur en charpie ne sait trop ce qu'il désire
Les musiques ancestrales résonnent d'artificiel
Les frontières de l'Abject passent par mon arrière-cour

Tant espérer en vain, tout perdre au tournant du destin
Prendre une kalachnikov et monter à l'assaut des bunkers luxueux
La rage ayant l'odeur de la poudre pour bébé
Ça fait mal, Paquette!
Mortifications perdues sous les pluies d'acide
Mon univers se meurt faute de passion partagée
Ai perdu les miettes de mie au tréfonds du labyrinthe
Robotiser la hantise des jours meilleurs

34. Château en Espagne érigé au cours de rituels pervers de séduction.

◈

Les jours passent et Nostradamus se terre. Pas d'explosion, pas de Grand Roy d'Effrayeur, seulement la routine aberrante, la semaine de quarante heures au salaire minimum, l'exploitation du génie humain par la machine impersonnelle qu'est le capitalisme. Ressusciter Karl, Vlad ou Joseph ? Rosa la Rouge ? Pour former des files d'attente face aux pelotons d'exécution, billets pour le goulag saguenéen, l'exil intérieur des objecteurs de conscience ? Où allumer la révolution de jour en jour plus nécessaire lorsque les esclaves s'enlisent dans l'aveuglement matérialiste[35] ? Brandir des pancartes au coin des rues alors que les défilés de sans-cervelle roulent au tambour de la conformité heure de pointe ? Écrire des pamphlets prêts à être compostés dès leurs parutions ?

La génération pepsi en est rendue à manger ses vidanges. Recycler les fèces de l'imaginaire mort-né en festivals rue Saint-Denis[36]. Gros rassembleur de foule opaque, dense, soumise. Duplessis aurait été certes fier de ses concitoyens. Nul besoin de loi du cadenas chez les libérés de la Révolution tranquille. Libération conditionnelle, ouais ; les barreaux sont bien visibles aux tenants de la Culture déstabilisante. Pas trop de marge de manœuvre chez les ilotes de cette terre d'Amérique ; soumettez-vous aux bureaucrates de la médiocrité. Les décrocheurs abondent en notre Club Price du B.S.[37] spirituel. Rien de trop beau pour la masse ouvrière. Même la poésie décroche des étoiles le vendredi soir à la radio propagandiste. Il faut savoir doser la dissidence, qu'elle s'exprime en ersatz de liberté, mais surtout qu'elle agite les drapeaux à la face du monde (vive l'ONU[38] et son palmarès

35. « Maintenant je veux revivre comme avant. Je ne revivrai plus comme avant après avoir terminé ce livre. Je veux écrire sur la mort, c'est pourquoi j'ai besoin d'impressions fraîches. J'appelle impressions fraîches quand un homme décrit ce qu'il a vécu. Je vais décrire ce que j'ai vécu. Je veux vivre des choses. Je suis un homme dans la mort. Je ne suis pas Dieu. Je ne suis pas un homme. Je suis une bête féroce et un fauve. Je veux aimer les cocottes. Je veux vivre comme un homme inutile. » Vaslav Nijinski, *op. cit.*, p. 198.

36. « avec ça d'une lenteur extrême la procession on parle maintenant d'une procession se faisant par bonds ou saccades à la manière de la merde à se demander les jours de grande gaieté si nous ne finirons pas l'un après l'autre ou deux par deux par être chiés à l'air libre à la lumière du jour au régime de la grâce ». Samuel Beckett, *op. cit.*, p. 193.

37. Bienheureux Sacrifice.

38. Ogive de Nutella Urticaire.

annuel !) et entonne l'hymne corporatiste dans le temple de la bière avant chaque match. Déposer son bulletin de vote dans les urnes funéraires de l'espoir et de l'idéal. Servile servitude des inféodés de l'asphalte. « Je vous aime silencieux ! » criait la cantatrice folle.

VOLKSPOLIZEI[39]

Retardez l'échéance car je ne peux plus payer
Je n'ai plus de deniers à gaspiller sur vos gérances mégalomanes
Engraisser les pourceaux à Mercedes me répugne
Surtout lorsqu'ils se votent des exemptions fiscales
Les tyrans anonymes se terrant dans les conseils d'administration ossifiés
Décideurs de l'holocauste à p'tit feu
Celui qui couve au tiers monde sans attention médiatique
Réchauffer les fours avant d'écrémer la lie d'chez nous
Une grosse Molle à la main et la cigoune au poing[40]
Bienvenue au royaume de la complaisance
Vacances de la construction et grève générale de l'intellect
As-tu deux minutes à m'consacrer
Avant de m'oublier dans la fosse commune[41]
La conscience septique en reste sceptique
Non, pas de cadavres dans nos garde-robes
Les laissés-pour-compte disparaissent sans laisser de trace
Jusqu'à l'hérétique télévisée de glapir sa jouissance extraconjugale
L'amorale toute moderne des jeunes filles en fleur
Dès que le printemps pointe et qu'elles changent de peau
En reptiles parfaites, sans remords et sans arrière-pensée
De quoi construire Helter Skelter en mongols à batteries
P'tites brunes enivrantes à en perdre la raison
Pas d'quoi être fier
Spontanéité de l'amour déchu
Tendresse de la chair putréfiée[42]
Les hymens se consomment à la pleine lune éclipse d'août

39. Ceintures de chasteté.

40. Soit la position de départ au marathon de Saint-Georges-de-Beauce.

41. Ou dans la foule anesthésiée.

42. « Accomplir un acte érotique c'est donner barre au néant sur nous, se livrer à une pensée érotique c'est consentir pour un instant à n'être rien et s'identifier avec ce rien qui monte en nous comme une élévation de l'état de cadavre à la lumière de la réalité. Et le cadavre n'en devient pas vivant mais c'est la lumière de la réalité qui sombre et notre conscience n'est devenue pour un temps que le cadavre de notre moi, où il n'y a plus d'autre conscience que celle de la disparition. » Antonin Artaud, *Œuvres complètes. Volume X: Lettres écrites de Rodez 1944-1945*, Paris, Gallimard, 1974 (a), p. 214-215.

Crucifixion des uns, libération des autres
Paris brûle de défilés incandescents
La fin du monde est reportée aux nuitées de cristal
Attendre la cloche de la récréation avant de descendre dans les rues
It's coming down fast, yes it is[43]
Charlie rumine son cancer à l'ombre de la modernité eau de Javel
Merci pour les roses, je suis déjà pris par un spleen incurable

43. C'est nous la Ribouldingue, oui c'est nous, c'est nous!

◈

Dire que la vie continue comme si de rien n'était me semble répugnant mais, hélas ! inévitable[44]. Inexorable serait plus juste. Comment accepter la cruauté inhérente à un destin semblant se moquer de tout un chacun ? Comment parvenir à la sérénité intérieure, la toute bouddhiste, toute nirvanesque permettant de tout nier, et ainsi de tout accepter, même l'inacceptable ? Et comment expliquer la dévotion des bodhisattvas[45], prêts à l'abnégation suprême pour le salut des autres ? Non, je ne comprends pas. N'y suis pas apte, faut croire. Je souffre dans le désespoir de l'amour et dans l'allégresse de la foi[46]. Rien de trop mercantile, encore moins mercantilisable. Tout juste bon à noircir des pages de divagations poético-débiloïdes. « No future[47] », s'époumonait Johnny Rotten. Il avait mille fois raison. Qu'attendons-nous pour enfin réagir, car je ne suis certainement pas le seul à bouillir de nausée. Et, en guise de réaction, pas seulement des ballounes d'eau lancées dans la face des milichiens casqués, mais bien aller jusqu'à dire « NON » et mettre en branle la conquête de la planète des Singes !

44. « Sous nos yeux, le monde s'uniformise ; les moyens de télécommunication progressent ; l'intérieur des appartements s'enrichit de nouveaux équipements. Les relations humaines deviennent progressivement impossibles, ce qui réduit d'autant la quantité d'anecdotes dont se compose une vie. Et peu à peu le visage de la mort apparaît, dans toute sa splendeur. Le troisième millénaire s'annonce bien. » Michel Houellebecq, *op. cit.*, 1999, p. 16.

45. Les joueurs de centre de l'équipe de l'Armée rouge.

46. Personne n'a, au Québec, posé les éléments de cette problématique avec autant de discernement que Jacques Cossette-Trudel : « —Atomisés, comment se regrouper ? Comment s'opposer au monolithisme du discours nationaliste ? — Menacés sur le plan culturel, comment demeurerons-nous à la fois francophones et ouverts aux courants de pensée universels (dont les néo-Québécois sont autant de « petits porteurs » ? —Consommateurs et conservateurs, jusqu'à quel point, face à tant de pauvreté ici et ailleurs, accepterons-nous de briser l'échine de l'omnidollar et de redistribuer les richesses ? —Avec 1 700 000 Québécois frappés d'analphabétisme, comment remonterons-nous la pente de notre acculturation collective, fruit empoisonné dans la corne d'abondance de la culture de masse ? —Avec l'hyperconcentration des capitaux et la surprofessionnalisation des relations humaines et sociales, comment protégerons-nous la libre circulation des idées, de la connaissance et de l'information ? » Jacques Cossette-Trudel, *op. cit.*, p. 48.

47. Joyeuse Pâques.

DREIFALTIGKEIT[48]

Têtes multiples de l'Hydre éhontée
Guerre partisane derrière les lignes
Écueil de la foi, poubelle de l'âme
La bêtise ne connaît pas de frontière
Coup de poignard dans le dos
Pacifier l'Abject de mensonges apaisants
Il faut bombarder l'empire du Milieu
Seppuku libérateur en césarienne spirituelle
Éponger les tripes répandues
Purifier les mœurs du déshonneur incarné

Occlusion de l'espoir
Culture agonisante de la consommation effrénée
Le Christ en cannes de quatorze onces[49]
Sans agents de conversation
Évangéliser les infidèles
Il faut redéfinir l'Eucharistie des frappes aériennes
Confession forcée des peuplades insoumises
Impérialisme de nos aïeux
L'hier s'efforce d'accaparer l'attention
Les crématoires débordent d'incompréhensions tues

Incarnation du no man's land
Les Mater Dolorosa hantent les cratères d'obus
Monter à l'assaut des désinfections
Croquer les tumeurs cancéreuses des agonisants émaciés
La Laideur se perd au fil télégraphique
Branchement à haute vitesse[50]

48. Cachette barbecue.

49. Les tests visant à déterminer s'Il préfère Pepsi ou Coke ne sont pas concluants.

50. « Un explosif, si atroce soit-il, n'est qu'une petite affaire en comparaison de nos bombes sournoises qui éclatent dans le cœur. Prenez exemple sur les races orientales qu'on opprime parce qu'elles refusent de participer au pacte avec le diable, au vertige des chiffres qui trompent les hommes, puisque deux et deux ne font pas quatre et que, sans arguer du deux et deux font cinq des poètes, je livre à la méditation des hommes d'affaires le deux et deux font vingt-deux, emblème des Rothschild. » Jean Cocteau, *op. cit.*, 1949, p. 54.

La langue binaire ne sait traduire la désespérance
Effroi des suppliciés
Les cadavres de l'Utah luisent dans la noirceur
Silence des agneaux privés de chianti
Oubliés de la froideur systémique

Affluez, commanditaires de la visite papale!
La putain se prélasse dans ses habits de soie écarlate
Prière de l'électrochoc salvateur
Lobotomie de l'inculte
Foi de l'ogive à la seconde zéro
Le charpentier façonna sa propre croix
Névrose suicidaire d'un Zarathoustra pestiféré
Qui se maria lors des noces de Cana?
L'eau changée en vin chez tous les détaillants participants
Je confesse mes péchés en thérapies collectives

L'hystérie archétypale se vit à l'étouffée des hermétismes structurels
La mort annoncée d'Elohîm n'aura pas lieu
L'Agnus Dei sera servi en méchoui au cours du banquet d'adieu
Sans toit ni loi ni illusion aucune
Communier au pain sans levain fabriqué à la chaîne
Le sang de l'Alliance versé pour la multitude robotisée
Les identités se mêlent dans le mælström des chambres à gaz
Seigneur, sommes-nous seulement dignes de te recevoir[51] ?
Quelle catégorie administrative sauras-tu pondre
Afin de nous sauver de nous-mêmes?

Certitude du flou quantique
Les trolls dansent autour du bûcher de la sorcière
Excommunication de la dissidence à forte voix

51. « Dans le temps des sécheresses de la nuit sensitive, alors que Dieu fait subir à l'âme cette transformation qui consiste à passer de la vie du sens à la vie de l'esprit, et où les puissances deviennent incapables de discourir sur les choses de Dieu, parce qu'il s'agit de passer de la méditation à la contemplation, les spirituels souffrent à l'extrême, non tant des sécheresses qu'ils endurent, que de la crainte d'être égarés, de la pensée que les biens spirituels sont perdus pour eux, et que Dieu les a délaissés. » Jean de la Croix, « La nuit obscure », *op. cit.*, p. 951.

Les polyvalentes se gargarisent de pensée unique
Nivellement par le bas syndiqué à triple tour
« No future », qu'y disaient en signant leurs conventions collectives
Égorgeant tout lendemain
Et ainsi le présent de s'éterniser à en perdre tout sens
Gavé d'éphémère sous les deux espèces
Confortable laudanum des banlieues rassurées[52]
Les clés du Paradis ont été perdues volontairement
Pour la prospérité des Justes et le bien-être des Innocents
Toute tentative d'évasion sera durement réprimée
N'en êtes-vous pas suffisamment subjugués

Allez dans la paix du Barbu Sale paître votre turpitude
Soyez heureux dans votre cholestérol congénital
Plus d'espoir sinon l'attente de l'abattoir
Il ne faut chercher de vivants au royaume des morts
Vous appartenez à César corps et âme
Sieg Heil[53] aux lendemains de veille
Les kilos de chair avariée pèsent peu dans la balance
Bon à s'en lécher les doigts
Un jour, ce s'ra vot' tour, soyez-en avertis
Les fosses communes se creusent en bordure de l'ignorance
Je me souviendrai de vous oublier sans remords

52. « Aujourd'hui, le pragmatisme s'est infiltré partout et on fuit l'engagement politique comme le sida. Les groupes d'intérêts se sont multipliés et ont relégué au second plan ce qui restait de partis politiques, de références idéologiques et de confort intellectuel d'antan. La force du système réside désormais dans sa capacité d'atomisation. Les murs s'écroulent et, dans les bureaux des psychothérapeutes, chaque personne devient totale puisque capable de « croissance personnelle ». » Jacques Cossette-Trudel, *op. cit.*, p. 44.

53. Baisers pleine bouche, langue incluse.

◈

La Terre poursuit sa course folle à travers l'univers, le Soleil se lève à l'est et se couche à l'ouest, creusant un peu plus chaque jour mon isolement. Rien ne change, tout s'élague, par gravité ou par destin, le ciel reste sombre malgré mon incarcération au jardin d'Éden. Je vis pleinement mes souffrances quotidiennes, elles me terrassent, elles me comblent de vide, elles me définissent et donnent sens à ma vie. Je souffre, donc je suis. Beau programme! Schopenhauer et Kierkegaard, Nietzsche le syphilitique, Heidegger l'homme-machine, qu'avez-vous à rajouter? Dois-je me plonger dans les bondieuseries anesthésiantes afin de trouver des pistes de réponses à ce gâchis sans précédent dans ma p'tite histoire? Ou devrais-je devenir mercenaire pour les Serbes et attendre sagement l'Antéchrist[54], tapi dans mon bunker de carton-pâte? La vie prend parfois des teintes de sacrifice païen et je peine à y trouver quelque sens que ce soit. Oh, je ne suis pas naïf, je sais pertinemment qu'il n'y en a pas la moindre trace, mais au moins une foi toute expliquante, une catégorisation rationnelle de l'imprévu et du déconfit, des œillères opaques orientant le regard vers un Salut, peu importe sa légitimité propre.

J'observe les Mormons chanter leurs hymnes débiloïdes avec envie, me creusant les méninges jusqu'au sang, me demandant comment des gens sensés peuvent adhérer à pareilles balivernes, comment ils peuvent arborer leurs sourires niais d'élus des derniers jours, puis, les images des bons légumes sur la place Saint-Pierre m'envahissant, Lourdes, Fatima, La Mecque, l'Inde, la Pologne infernale[55], mes pieds glissent sur le flegme répugnant que dégage l'âme humaine et je ne peux m'empêcher de vomir, jusqu'à ce que mon cœur explose dans sa cage osseuse. Oui, j'espère ascensionner l'échelle de Jacob, car je demeure persuadé qu'elle existe, qu'elle mène à l'Absolu, nommé Dieu ou autre chimère. Mais le chemin s'avère miné de chinoiseries, comme si Bouddha et Lao Tseu avaient voulu rire dans leur barbe, au fin fond du Nirvana, sirotant des martinis extrasecs avec Marx[56]. Je

54. Monsieur l'Honorable Premier ministre de l'Utopie à reculons.
55. Quiconque l'aura visitée en compagnie de Klaudyna Bill pourra en témoigner.
56. La Vième Internationale, fondée par Bill Gates.

ne sais ni ne veux m'astreindre à donner foi à toutes les balivernes qui ont été formulées depuis la descente postadamique aux enfers. Les guignols à la Raël abondent et pullulent, les sectes priant les ressuscités de tout acabit égorgent leurs fidèles en des sacrifices perpétuels de l'intellect. Vaut mieux devenir complètement fou plutôt que de servir la messe une autre fois. Amen hallelou-Yah!

BEDINGUNGSLOSE KAPITULATION[57]

Défendre l'indéfendable
Quels qu'en soient les coûts
Jusqu'à ultime souffle
Annihiler l'antagonisme au creux de son être
Rien ne saurait résister à l'héroïsme de la conformité
Savoir joindre la parade
Tenir son rang sous les rafales
Le barrage publicitaire bat son trop-plein de bile
Réduire le carnage à un code de transaction
Circonscriptions de public cible élisant ses oppresseurs
Pourquoi se plaindre le ventre bien gavé
Huit pains pour douze saucisses
Relish-moutarde s'il vous plaît

Gratuité de la complaisance
Investir dans le nivellement tous azimuts
Qui rouspète dans la prospérité pyramidale
Le silence est d'or et se vend à l'once
Incorruptible et malléable
Mépris que l'on jette en petite monnaie aux gueux nauséabonds
Vermine des Catherine vierges de compassion
Se perdre dans la foule sans visage[58]
Porter fièrement son maquillage permanent
Star internationale dépecée en smoked meat écarlate
Entonnons l'hymne national corporatiste
La théologie du rollerball est inscrite en nos gènes
Rien ne s'oppose à la violence aveugle
Pas d'interdits sous les feux de la rampe

57. Rentrée scolaire.

58. « Le spectacle, comme la société moderne, est à la fois uni et divisé. Comme elle, il édifie son unité sur le déchirement. Mais la contradiction, quand elle émerge dans le spectacle, est à son tour contredite par un renversement de son sens ; de sorte que la division montrée est unitaire, alors que l'unité montrée est divisée. » Guy Debord, *op. cit.*, p. 35.

The show must go on
And on[59]

Presser le citron jusqu'à en extraire la pulpe
Miracle technologique des négriers apatrides
Servir la chair à canon sur un lit d'insipide
Soylent Green is people[60]
Asservir la faiblesse structurale
À quoi serviraient sinon les MBA[61] totalitaires
La nécessité des uns prévaut sur celle de tous les autres
Qu'est l'espoir face aux atrocités quotidiennes
Athéisme situationniste
La valeur intrinsèque de chacun est à discuter
Exposer sa viande à l'offertoire
Die Reihen dicht geschlossen[62]
La Communion des Morts sera bientôt d'actualité
N'en déplaise aux critiques inexistantes

Questionner l'amoralité du Temps
Perdition d'effort et gaspillage d'énergie
Vaut mieux entrer dans la danse
La tyrannie du bungalow si difficile à éviter
Villes-dortoirs des revendications somnifères
La marmotte a-t-elle vu son ombre ?
Désengagement populaire
Les Freikorps[63] défilent en habit trois-pièces
Anéantissement préventif de la gangrène sociale
Cotisations aux RÉER[64] et cancer du colon
Le Grand Roy d'Effrayeur plane au-dessus des bleds pacifiés
La trouille fera monter les ventes de huggies
Les Égrégores oligarchiques transigent en denrées essentielles

59. Changer les couches des vieux séniles.
60. La Ligue nationale de hockey se gargarise de médiocrité.
61. Morpions Baveurs d'Arsenic.
62. Fesser dans l'dash.
63. Troupes de louveteaux.
64. Rouages d'Éclatements des Excréments Révolutionnaires.

Les bordées de plutonium se pellettent sur les trottoirs stérilisés
Tombe hors du ciel l'étoile, la grande
Tchernobyl empeste le soufre de l'arrogance technocratique
Les bogues s'en promettent pour l'aube du millénaire
Le chaos qui pointe
L'ordre établi se lézarde de fiel
En marche, les humiliés du Souffle!
Faites retour, car il est proche, le Royaume
Entête des douleurs
Sur Nintendo 64[65]

65. « Tel est le désespoir de la finitude. Un homme peut parfaitement, et au fond d'autant mieux, y couler une vie temporelle, humaine en apparence, avec les louanges des autres, l'honneur, l'estime et la poursuite de tous les buts terrestres. Car le siècle, comme on dit, ne se compose justement que de gens de son espèce, en somme voués au monde, sachant jouer de leurs talents, amassant de l'argent, arrivés comme on dit et artistes à prévoir, etc., leur nom passera peut-être à l'histoire, mais ont-ils vraiment été eux-mêmes? Non, car au spirituel ils ont été sans moi, sans moi pour qui tout risquer, absolument sans moi devant Dieu… quelque égoïstes du reste qu'ils soient. » Søren Kierkegaard, *op. cit.*, p. 97-98.

◈

L'exil est non seulement distance, mais aussi désappropriation, transmutation, métamorphose. Toutes les balises sont relativisées, vues sous la lorgnette de l'Autre, et le décalage qui en découle vient gommer à l'acide le sentiment de sécurité qui régnait auparavant en monarque absolu. Les souvenirs se cristallisent, la majorité disparaissant dans la brume de l'oubli, et les autres, souvent tapis au préalable sous de multiples évidences inutiles, se révèlent primordiaux, centraux à la définition même de l'Être, de la réalité, de la vie. Non, rien ne sera plus jamais pareil après le retour, car l'expatriation, même volontaire, s'avère être un processus de destruction/création sans commune mesure. Un baume certain sur le marasme existentiel de la sédentarité du pur laine et de la ceinture fléchée. Mais aussi la tristesse de la dissolution identitaire[66], le souhait cher d'un retour à la normale à jamais reporté, l'errance burinée dans l'âme tel un cancer rongeant des tissus friables. L'envie insatiable érigée en principe moteur, le nomadisme prenant possession de nouveaux continents inexplorés, au mépris du confort, de la stabilité.

Et toujours l'appétence du silence intégral, du nœud de l'univers pré-big-bang, de l'instant-éternité, de la délivrance syntagmatique. La perception de l'entièreté infinie, comme un vertige soudain, perdre pied dans le monolithe orbitant Jupiter, la porte des étoiles. Franchir l'espace-temps et se désincarner face à la beauté de l'Incompréhensible. Devenir Chartreux, prier pour l'insensé et le désespoir dans une cellule de cinq mètres carrés. Devenir un fol en Christ[67], parcourir les contrées à la recherche du salut et de l'expiation. Mes péchés m'empèsent l'âme d'une terrible mélancolie. Traversée du désert, la nuit profonde, le silence divin. Et cette solitude, si horrible, si totale, pervertissant les mots à peine formés, évidant les signifiés, étêtants les

66. « Un jour l'âme n'existait pas, l'esprit non plus, quant à la conscience, nul n'y avait jamais pensé, mais où était, d'ailleurs, la pensée dans un monde uniquement fait d'éléments en pleine guerre sitôt détruits que recomposés, car la pensée est un luxe de paix. » Antonin Artaud, « Van Gogh le suicidé de la société », *op. cit.*, 1975, p. 51. Et l'on connaît très bien l'ampleur de la guerre déchirant nos cultures fantomatiques...

67. « Il ne veut plus se souvenir. Ni parler. Il n'a plus besoin de toucher. Il regarde. Il entend. Son œil, son oreille explorent. Ce qui est vu, écouté, lui signifie qu'il a tout vécu. » Bruno Gay-Lussac, *op. cit.*, 1979. p. 82.

signifiants. À qui confesser mes torts sinon à l'ombre me poursuivant, se rassasiant de ma douleur vive, écorchement médiéval, les roues aux abords des villages. No man's land, no man's land, sans protection, le ciel se déchirant d'Absolu en un indicible mælström broyant tout, un trou noir aspirant la réalité, grandiose Abject, the Horror, the Horror[68].

68. La banlieue nord, la banlieue sud. Voir *Heart of Darkness* de Joseph Conrad.

SONDERBEHANDLUNG[69]

La distance est trop grande
La Terre est plate[70]
Fort risque de passer par-dessus bord
Qu'y a-t-il sous la coupole ?
Répression et goulags, silence et la Bande des Six[71]
La loyauté se récompense en promotions canapés
The panic, the vomit[72]
La compétence des imbibés de vodka suscite des éclats
Parmi la foule de la place Rouge
Ça fait mal, Paquette
Die Fahne hoch ![73]
Les mourants n'auront pas longtemps raison
Polarisation et ségrégation
Qui a encore peur du KGB[74]
La liberté est une marque de serviette sanitaire
Bâtir le réalisme socialiste
La gauche aussi moribonde que la droite
Que reste-t-il de nos amours[75] ?
Représentation sans taxation ?
Les potentiels se gaspillent par millions
Bonjour, madame Grenouille !

69. Passe-moi l'beurre.

70. De sa platitude géographiquement nivelée.

71. « C'est *l'unité de la misère* qui se cache sous les oppositions spectaculaires. Si des formes diverses de la même aliénation se combattent sous les masques du choix total, c'est parce qu'elles sont toutes édifiées sur les contradictions réelles refoulées. Selon les nécessités du stade particulier de la misère qu'il dément et maintient, le spectacle existe sous une forme *concentrée* ou sous une forme *diffuse*. Dans les deux cas, il n'est qu'une image d'unification heureuse environnée de désolation et d'épouvante, au centre tranquille du malheur. » Guy Debord, *op. cit.*, p. 41.

72. Le maquillage ultraviolent des matantes gloussant de prozac.

73. Tour du chapeau !

74. Kitsch Grosse Bite.

75. « [...] oui, tout le monde est parti, c'est ça, donc vous n'avez rien vu ? Bon, écoutez, pouvez-vous me rendre un petit service ? Je vous remercie infiniment, ce n'est pas grand chose, voilà, vous prenez cette baguette, vous la dirigez vers moi et vous dites « un, deux, trois, hop ! » ». Matei Visniec, « L'illusionniste », *op. cit.*, p. 107.

Entête, lui, le logos et le logos, lui, pour Elohîm. Les cloches carillonnent un temps nouveau, l'entrée grandiose de la nouvelle ère. Ère nouvelle ? Que devrait-on espérer d'une continuité, d'un accomplissement du gâchis nommé Histoire ? Homo sapiens aurait-il à ce point changé pour mériter une métamorphose, aussi métaphysique soit-elle ? Il faudrait non seulement que Dieu, cette chimère si pratique, soit d'une bienveillance infinie, mais aussi que cette « bienveillance » soit si profonde, si totale, que la mièvre humanité se transfigure, passe, en quelque sorte, à son prochain stade évolutif. Comme si la stagnation des quelque cinquante derniers millénaires pouvait se laisser ignorer. M'enfin. S'il faut en croire les diseuses de bonaventure, tout se dévoilera en surprise agréable, malgré les douleurs de l'enfantement. Ouais, comme la Troisième Guerre mondiale, peut-être ? Oui, les mutants ayant réussi à survivre à l'hécatombe sauront chanter les louanges de cet âge d'or[76], alors que leur épiderme se pèlera comme des chips de lépreux. Il est à souhaiter que la fondation du cardinal Léger sache elle aussi perdurer…

Liberté de parole, liberté d'action. Irresponsabilité, montée en épingle, mentalité du laisser-aller qui se combine à de la pure et simple répression. René-Daniel Dubois[77] ayant mis le doigt sur la plaie et l'ayant enfoncé jusqu'au coude. Mais, au nom de l'indépendance, il faut sacrifier la divergence, sacrifier la dissonance sur l'autel utopique de La Panacée, celle qui rétablira l'économie après des années d'incompétence, qui reconstruira notre système scolaire en ruine en un tour de magie fleurdelisée. Les aveugles verront, les sourds entendront, les anglos et les immigrants converseront à la Molière. Amen

76 « De là vient que le héros de ce processus, le soldat inconnu, apparaît comme le porteur d'un maximum de vertus actives : le courage, la disponibilité et l'esprit de sacrifice. Sa vertu réside dans le fait qu'on puisse le remplacer et que derrière chaque tué la relève se trouve déjà en réserve. Son critère de référence est celui de la performance objective, de la performance sans beaux discours ; aussi est-il en un sens éminent porteur de la révolution *sans phrase*. » Ernst Jünger, *op. cit.*, p. 194-195.

77. « René-Daniel Dubois (1776-1837), patriote mort pour ses idéaux face à l'envahisseur postmoderne, accusé à tort ou à raison de haute trahison envers le bon sens. Prélat célèbre, ses sermons enflammèrent plus d'un fidèle les soirs d'Halloween. » Caghan Ebügen, *op. cit.*, 1997.

hallelou-Yah, le Royaume des Cieux se concrétisera sous nos yeux, malgré le haut degré d'imbécillité de nos « humbles » dirigeants. Oui, votons pour le meilleur et pour le pire[78] ! Que nos objections se diluent dans les scrutins insipides, ces concours de popularité se décidant par sondages interposés. Oui, en vérité, vive le Québec libre, vive le Canada-meilleur-pays-du-monde, vive le niveau de vie nivelé à la bière ! Qu'aux excès de la masse se substitue la victoire des poches ! Go habs go[79] !

78. « Les seules mutations acceptables sont donc celles qui, à tout le moins, ne réduisent pas la cohérence de l'appareil téléonomique, mais plutôt le renforcent encore dans l'orientation déjà adoptée ou, et sans doute bien plus rarement, l'enrichissent de possibilités nouvelles. » Jacques Monod, *Le hasard et la nécessité*, Paris, Seuil, 1970, p. 156.

79. Qui a peur de Lisette Lapointe ?!

BLUTFAHNE[80]

Hautes, les bannières!
Affichons notre fierté
Nous sommes les maîtres de la vomissure
Crachons notre fiel aux histrions terrés dans leurs auges
Nous sommes les complets trois-pièces de la réussite
Les embouteillages quotidiens du succès assuré
Tout tourne et roule sous notre gouverne
Nous créons le confort du chaos nous assiégeant
Hautes, les barrières de notre intolérance
Arbeit macht frei, sonst Tod[81]
Nos Einsatzgruppen sillonnent les rues
À la recherche de la dissidence et des protestataires
Loi du silence et cadenas de la démocratie
Salut exclusif aux membres du Club Price
Hautes, les bannières de la civilisation à rabais
Quatorze beignes de plomb à la douzaine

Résonnez, clairons de notre insignifiance!
Nous nous délectons de la culture pop-soda
Les rafales informatives de vingt secondes se succèdent
Notre âge mental est à aplanir par boucles de quinze minutes
Il faut ridiculiser les penseurs de l'ennui
L'état de nos vidanges importe tellement
Notre Newspeak[82] effleure la réalité en zapping accéléré
Suffisance de la Victoire universelle
Quête de la Solution Finale
Purifier nos Champs-Élysées[83] de toutes ces pollutions à deux pattes

80. « Les hommes auront-ils suffisamment d'altruisme pour un tel système? Ou bien des réactionnaires viendront-ils perturber l'harmonie générale en persistant dans le culte de *Luxuria* et d'*Avaritia*? » Norman Cohn, *op. cit.*, p. 128.

81. Livraison rapide assurée.

82. Joual en trou d'cul d'poule à couper à la hache.

83. « Encore pour un peu de temps la lumière est en vous. Marchez tant que vous avez la lumière, afin que la ténèbre ne vous saisisse pas. Qui marche dans la ténèbre ne sait où il va. Tant que vous avez la lumière, adhérez à la lumière, afin d'être des fils de lumière. » Iohanān 12:35-36, *La Bible*, *op. cit.*

Camarades, fusillons la Réaction revendicatrice
L'Anarchie jouvencelle doit être muselée à tout prix
Nos rangs tricotés serré revendiquant l'insipide
Nos vies de banlieues décérébrées
Nous sommes heureux, oder[84] ?

L'esprit de conservation nous anime
Il n'y a rien à espérer hormis la complaisance
Nos comptes en banque regorgent d'amertume ravalée
Nos vies hypothéquées se conjuguent à l'esclavage
Normalité par l'évidement de tout soubresaut humaniste
Nos piscines-citadelles creusées comme autant de trous noirs
Nous orbitons le vide de nos préarrangements funéraires
Les cercueils de bronze nous attendent pour défier l'éternité
Corps déjà rongés par les cancers de notre indifférence
Banalité du Mal et complicité à l'Horreur
Omission bien volontaire face à la misère semée dans nos traces
Lavons nos âmes sordides par des aumônes soupesées
Déductibles d'impôt, for sure
Charité bien ordonnée commence et se termine par soi-même
Le Biafra[85] à aseptiser, sauce chocolat au lait
Allons au tiers monde acheter les enfants que nous ne savons plus pondre

Hautes, les bannières de notre fierté souveraine !
Nos vies calculées d'avance se justifient de faiblesse
Les processions de la rue Sherbrooke débordent de p'tit peuple apeuré
Nos réalisations grandioses s'effondrent par poutres de béton interposées
Invoquer l'Autre par soucis de paranoïa xénophobe
Les Caisses Desjardins financent le carnage à des taux privilégiés
Dansons le rigodon marquant la défaite de l'imaginaire
Le méchoui des porteurs d'eau attire les affamés d'Histoire
Les plaines d'Abraham[86] prescrivent le manifeste des colonisés
Charogne échappatoire pour nos apathies si facilement rassasiées
Oui, soyons fiers ! Notre Céline adorée si significative

84. Lorsque décérébrés.
85. Trou noir spatiotemporel longeant le Saguenay.
86. Contrée mythique à la base de moult religions extatiques des Hespéries.

Ne chante-t-elle pas aux quatre coins du McWorld[87]
Avec son visage ahuri trituré de scalpels embellissants
Immortaliser l'inanité sur disques platines
Nous sommes un peuple distinct dans le magma de notre gouffre

Les générations futures n'ont qu'à bien se tenir
Nous rongerons le gigot jusqu'à l'os et en sucerons la mœlle
The Me generation jusqu'à la tombe Saint-Granit[88]
Tout nous est dû, sachez nous desservir
Notre conscience téflon reste blanche même en pelletant notre diarrhée
Un sourire pepsodent illuminant nos injures à votre endroit
Qui êtes-vous sinon des mendiants à la table du banquet
L'on vous a admis à nos pieds pour notre égoïsme expansif
Vous nous reflétez notre magnificence dans vos yeux avides de jalousie
Vos haillons bariolés ne savent cacher votre aliénation
Sachez vous taire car nous ne supportons vos jérémiades
Divertissez-nous de quelques tours savants
Notre race de Seigneurs a su mériter ses récompenses
N'avons-nous pas sauvé le monde en assassinant Dieu ?
Avons gagné le Ciel en incendiant le Walhalla
Nos prophètes dopés à guitare ont inventé la véritable Liberté
Jusqu'à en poignarder Sharon Tate
Immolée sur l'autel de notre victoire morale

Nous sommes le parachèvement des rêves millénaristes
Le soleil ne sait se coucher sur notre empire infini
Notre extase se mesure en cylindrées sur les boulevards de notre anxiété
Avec l'assurance d'une meute de somnambules
Vous hériterez un jour de nos restes empaillés
Nous bâtissons partout des mausolées à notre splendeur éphémère
Le pied sur l'accélérateur au mépris des limites de vitesse
Nous sommes le moteur d'une économie de surchauffe
Consommer jusqu'à l'épuisement des stocks

87. Prison à sécurité maximale.

88. « Et d'où vient cette abjection de saleté ? De ce que le monde n'est pas encore constitué, ou de ce que l'homme n'a qu'une petite idée du monde et qu'il veut éternellement la garder ? Cela vient de ce que l'homme, un beau jour, a arrêté l'idée du monde. » Antonin Artaud, *op. cit.*, 1975, p. 85.

Naquîmes au tournant d'une guerre idéologique
Disparaîtrons dans le brouillard d'un givre impie
La turlutte des années de pain sec s'imposera en votre hymne national
Vous pesez si peu dans la balance
Face à notre obésité boulimique[89]
Nous aurons existé envers et contre tous
Vos vies inutiles ne sauront se trouver de signifiant en notre absence
Hautes, les bannières, à notre futilité

89. « Pareille attestation, d'une si vaste portée, par la liturgie des prémisses, rend impossible l'affirmation d'une toute-puissance humaine qui se voudrait démiurge, qui érigerait un être mortel, quoi qu'il en ait, en origine et source du vivant immédiat et du viable pour l'avenir, de génération en génération. Et cette attestation affecte tout développement technologique par lequel la puissance effective de l'Humain atteindrait des échelles incommensurables. » Raphaël Draï, *op. cit.*, p. 333.

◈

Les lois du marché s'apparentent à la loi de la jungle. Darwinisme social ? Du moins économique. La distanciation des consensus mutuellement exclusifs. Bombarder l'inouï. L'enfer sur terre. Plus d'idéaux. Plutôt, l'Idéal est mort, et non Dieu[90]. Ce vieux radin n'incarne pas l'Idéal, mais l'Absolu. Comme les théologiens d'antan l'affirmaient, il est incompréhensible, irrésumable, totalement hors de l'entendement limité de notre futile espèce. Par contre, en ce qui a trait à l'Idéal, nous l'élevons sur l'autel en tas de carcasses sacrifiées, en pyramides de têtes guillotinées. Nous comprenons ce qu'Idéal signifie, nous le crachons à nos rois et seigneurs dès qu'un coup d'État nous « libère » dans les bras de nos prochains oppresseurs. L'Idéal de la Déclaration des droits de l'homme, du crédo marxiste-léniniste, pimenté d'un peu de maoïsme et de troskisme, sans oublier *Mein Kampf*[91] et *On the Wealth of Nations*[92], sans oublier l'innommable, sans omettre la couche d'ozone et le réchauffement de la planète. L'Idéal ? Nous le respirons à pleins poumons, les matins de smog intense. Nous nous en rassasions avec nos aliments transgéniques, nos viandes aux hormones et nos fromages grouillants de vers. Notre dégénérescence met cet Idéal en abîme et nous le lance à la figure, en but pénultième à édifier, quelles qu'en soient les conséquences, juste avant de sombrer dans l'oubli sidéral.

90. « [...] le Père est en eux tous, incommensurable et immuable : Il est Noûs, Parole, Séparation, Flamme et Feu, mais Il est tout entier un puisqu'Il est tout entier en tous dans un seul enseignement, puisque tous ceux-ci sont issus du même Esprit. » *Le deuxième traité du grand Seth*, NH VII,2, Bibliothèque copte de Nag Hammadi, texte établi et présenté par Louis Painchaud, Québec, Presses de l'Université Laval, 1982, p. 69.

91. Ma vie au monastère.

92. La Constitution de Patofville.

AUSBÜRGERUNG[93]

à Claude

Je suis la pierre d'aigle rejetée par les bâtisseurs
L'Abject hantant les soupes populaires
Je suis saleté, guénilloux, sans adresse fixe
Incarnation de l'indigence hors des âges
Je dévolue en bas de l'échelle
Je n'ai pas voix aux lignes ouvertes
Un Pierrot perdu en cette nouvelle lune sans plomb
À la recherche du temps irrémédiablement perdu
Je porte le deuil de nos moments assassins

J'erre sans but entre les mailles évasées du filet social
Je suis sans nom et sans visage
Un numéro de dossier égaré dans un océan de paperasse
La logique des compressions budgétaires se déverse dans mes délires
Quelle concoction de plâtre saura suffisamment me niveler ?
Banc d'essai des géants pharmaceutiques
Je devrais mastiquer mon poison au fi des effets secondaires
Servilité, docilité, sacrifice à l'enrégimentation
Il me faut contrôler les tensions lézardant mon masque d'Halloween
Ne pas effrayer les p'tites vieilles aux cheveux mauves
Entrant chez matante Lise Watier sacrifier à la Beauté éternelle
Ajustement de maquillage permanent
Taire l'éruption grondant en moi
Lorsque j'aperçois leurs caniches manucurés
Colliers de diamants au cou
Nourris au filet mignon
Je dois disparaître derrière ma brume multicolore s'avalant par triplés
Robotiser mon dégoût par thérapies sur tous les fronts
Je ne vaux rien puisque je n'ai pas de pedigree
Qui sait si je souffre d'une dysplasie de la hanche

93. Expulsion/exclusion.

Ma psychose est sans retour
Je m'exprime en monosyllabes
Je précise l'approximatif à la troisième décimale
Contribution fort modeste à l'ordre établi
Fus-je stérilisé sous quelque mesure eugénique?
J'étire les maigres ressources de la collectivité m'oppressant
Les seins naissants des jeunes filles comme autant de facteurs de stress
Qui suis-je sinon le Croque-Mitaine au visage de gardien de but
J'attends que vous m'euthanasiez de camisoles de force
Sur ma nef des fous entre les vagues de manie et de dépression
Consolez-moi sans plus attendre car mon temps est proche
N'ai besoin de personne pour décider de mon sort

L'amour se mesure en milligrammes de lithium
Pourquoi remanier mes ordonnances si je ne compte pour personne
L'on écoute mes monologues par seule corvée civique
Et moi de préparer mes Noël six mois à l'avance
Entre mes évasions au paradis aseptisé de l'Eldorado
Je reste humain malgré mon hébétude
Une charge pour mes proches qui ne sait s'estomper
Ma cousine bien-aimée filtre ses appels pour mieux m'éviter
Son âme tordue devrait pourtant me comprendre
J'erre en un quotidien qui s'éternise
Je ne sais être que l'envers de la médaille
Il manque tant de pièces pour compléter le casse-tête de mon univers
J'ai perdu tout espoir en saccageant la salle de bain
Ma résilience est illusoire lorsque mes humeurs plongent dans l'abîme

Je suis seul lorsque je me regarde vieillir dans la glace
Je reste seul lorsque mes délires se déchaînent
Les venins que j'ingère s'imposent comme barreaux de ma prison
Je n'attends plus que la délivrance
Je me complais dans le concret des substantifs
Le Nirvana n'est qu'une cage dorée pharmacothérapique
Je rêve d'absinthe sous les tropiques du Cancer
Garder la frontière me séparant du chaos
Ne suis plus qu'une ombre à la limite du compréhensible

Laissez-moi en paix
Je n'appartiens pas au bétail de la foule enrégimentée
Aussi bien m'abandonner
Ma démence est d'acier inoxydable
Je reste un amalgame de l'Indestructible[94]

94. « Je pense peu, c'est pourquoi je comprends tout ce que je sens. Je suis le sentiment dans la chair, et pas l'intelligence dans la chair. Je suis la chair. Je suis le sentiment. Je suis Dieu dans la chair et le sentiment. Je suis un homme, et pas Dieu. Je suis simple. Il ne faut pas me penser. Il faut me ressentir, et me comprendre à travers le sentiment. Les savants réfléchiront sur beaucoup de choses, et se casseront la tête, car le fait de penser ne leur donnera aucun résultat. Ils sont bêtes. Ce sont des bêtes. Ils sont la mort. Je parle simplement et sans aucune singerie. Je ne suis pas un singe. Je suis un homme. Le monde descend de Dieu. L'homme vient de Dieu. Il est impossible aux hommes de comprendre Dieu. Dieu comprend Dieu. L'homme est Dieu, c'est pourquoi il comprend Dieu. Je suis Dieu. Je suis un homme. Je suis bon, et pas une bête. Je suis un animal doué de raison. J'ai une chair. Je suis la chair. Je ne descends pas de la chair. La chair descend de Dieu. Je suis Dieu. Je suis Dieu. Je suis Dieu... » Vaslav Nijinski, *op. cit.*, p. 48-49.

◈

L'opulence qui côtoie la pauvreté. Des clochards raclant les restes prémâchés à la cafétéria universitaire. Les étudiants se ferment les yeux, certains pavanent leurs cultures universelles, les multiples langues qu'ils maîtrisent, tous les pays qu'ils ont visités. D'autres comptent les quelques sous leur restant, pour savoir s'ils peuvent se payer le menu du jour. Et la rue principale, la Haupthure, lascive dans ses vitrines débordantes de bébelles fastueuses, les visages fermés, les œillères fixées solidement, ne pas contempler la pauvreté que cette attitude engendre, apprendre à faire abstraction de la misère humaine, dur apprentissage de la modernité. Être heureux, à tout prix, quel qu'en soit le prix[95], quelles qu'en soient les victimes. Des souliers se détaillant à des centaines de crédits, alors que les artisans les ayant fabriqués ont été récompensés en centimes. L'exploitation se mondialise, plus de frontières pour entraver le Capital. Non, les virus dévastateurs ne connaissent pas ces chimères, et cannibalisent goulûment la force vitale de l'Humanité. Que ces virus soient structurels ou biologiques, qu'importe ! Les fosses communes finissent toujours par déborder[96]. L'égalité ne s'acquiert que dans la décomposition.

95. « Vous ne pouvez aimer la vérité et le monde. Mais vous avez déjà choisi. Le problème consiste maintenant à tenir ce choix. Je vous invite à garder le courage. Non que vous ayez quoi que ce soit à espérer. Au contraire, sachez que vous serez très seuls. La plupart des gens s'arrangent avec la vie, ou bien ils meurent. Vous êtes des suicidés vivants. » Michel Houellebecq, *op. cit.*, 1997, p. 27.

96. « Le monde des larves invertébrées d'où se détache la nuit sans fin des insectes inutiles : poux, puces, punaises, moustiques, araignées, ne se produit que parce que le corps de tous les jours a perdu sous la faim sa cohésion première et il perd par bouffées, par montagnes, par bandes, par théories sans fin les fumées noires et amères des colères de son énergie. » Antonin Artaud, *op. cit.*, 1975, p. 117.

KRAFT DURCH FREUDE[97]

Société d'aliénés
Les macaques s'amusent l'âme en paix
Nul péché au téflon spiritiste[98]
Les Égrégores ignorent les cris de douleur perçant la nuit
Il importe d'attendre son tour
Jusqu'où s'isoler de la camisole de force
La musique des sphères ne suffit plus à combler les blancs
Bouche bée face au béant de l'infini
Le sol bascule sous l'impact de la malédiction
Rosée d'amertume à l'aube des supplices
Je transpire le sang de mes pères par pores éclatés
L'univers se contracte irrémédiablement

Des voix immatérielles hantent le palais des Glaces
Passive passivité des foules clémentes
L'Histoire se grave dans les mémoires rongées de remords
Trop de sièges vides au banquet des élus
Ériger des murailles pour les cathédrales inouïes
Cloner l'insuffisance cardiaque au fil des routes de la basse Côte-Nord
Rien n'arrête le progrès[99]
Mes mains restent vides d'éclats de porcelaine
Les fouilles de Troie[100] en friche comme un mauvais spectacle
Rien à ajouter sinon la nausée
Félicitations pour votre belle promotion

97. Siffler en travaillant.

98. « Celui qui a vu l'évidence de son Rabb proclame son témoignage : l'Écrit de Mûssa, Imam, matriciel, l'avait déjà précédé. Celui-là adhère à Lui. Et qui l'efface parmi les factions a rendez-vous dans le Feu. N'aie aucun doute en cela : c'est la vérité de ton Rabb. Cependant, la plupart des humains n'y adhèrent pas. » Sourate 11:17, *Le Coran*, *op. cit.*

99. Sinon le déneigement retardataire des métropoles décomposées.

100. « abandon ici effet de l'espoir ça s'enchaîne de l'éternelle ligne droite effet du bon désir de ne pas mourir avant terme dans le noir la boue sans parler d'autres causes ». Samuel Beckett, *op. cit.*, p. 72.

La Belle[101] avait pourtant raison de butiner les fleurs printanières
Son souvenir hante ma mémoire séquentielle
Il n'y a que les colliers d'or massif qui savent se rendre à destination
L'Amour ne se communique qu'en mode viral
Les idéaux se laissent décapiter sur l'autel des hurlements rauques
Parfaire l'ubiquité des pathologies sémantiques
Mon cœur évidé en une transmutation de cyborg à rabais
La vie n'a de sens qu'en l'horreur qu'elle suscite
Perdre la foi face à l'apparition des cheveux blancs
Les chimères ont la couenne dure de ce côté de la Géhenne

Tant de Babèl inutiles[102]
La solitude ronge les nuées à l'acide réducteur
Le vacarme étouffe les subites surprises
Bonsoir tristesse blonde
Tout se calcule au logarithme du parachèvement arriviste
Hymne national de l'éclatement des perspectives
Les pleureuses se rassemblent au pourtour de l'arène
Le Minotaure sera immolé pour le salut inespéré des culs-de-jatte
Qui sauvera la paix sinon l'Empereur endormi
Les fosses communes débordent de bonnes intentions
Savoir oblitérer les récriminations exhaustives
Les étals ne savent que faire du surplus de viande
Regardons passer le défilé des coupeurs de tête
Bouddha sourit lorsqu'on lui trancha la gorge

Témoignage de l'isolement volontaire
Un voyageur sur les ailes du désir abstraitement refoulé
Les armées se rassemblent au pied de la tornade
Ignominies crachées par les haut-parleurs officiels
Du pain et des jeux

101. La Belle et la Bête, tout comme Jeckyll et Hyde, deux opposés cohabitant dans le même corps.

102. « Dans l'espace immatériel de l'analyse logique abstraite on peut prouver avec la même rigueur aussi bien l'impossibilité absolue, la défaite certaine de la grève de masse, que sa possibilité absolue et sa victoire assurée. Aussi la valeur de la démonstration est-elle dans les deux cas la même, je veux dire nulle. » Rosa Luxemburg, *op. cit.*, p. 100.

Satisfaction garantie[103]
Avances de fonds sur l'avenir en double hypothèque
Survoler le gouffre en spirale descendante
La porte des étoiles cligne de l'œil
Il faut puiser jusqu'à l'archétype polymaniaque[104]
Illimitée mansuétude des oligarques anonymes
Biser la main qui nous nourrit
L'allégresse dans les rangs est contagieuse
À la conquête de l'euphorie féodale
Serfs de tous les pays apprenez à vous taire

103. Ne pas oublier de payer la prime mensuelle.

104. « Comme des images synthétiques, partout des êtres, des objets et des événements individualisés, polyvalents, interchangeables, *compatibles*. Partout des atomes en « liberté ». En apparence, pas de système qui les régularise, pas de structure qui les organise, pas de limite qui les relativise. On a beau le déplorer, la folie de notre époque c'est bien celle-là : plus il est efficace, plus le système passe inaperçu. Et, *de nos jours*, quand on utilise le mot « système », c'est pour parler de son « système de son ». » Jacques Cossette-Trudel, *op. cit.*, p. 44-45.

L'Art est un luxe, donc une inutilité. La vie d'artiste, un gaspillage éhonté. Van Gogh errait entre la Raison et la Folie, à la recherche... de quoi, au juste? De la Beauté? Attiré comme il l'était par la foi (surtout la protestante), il savait très bien que pareille quête ne pouvait conduire qu'à l'Abject, purement et simplement. Ses querelles avec son frère Théo ne signifient rien hors de cette perspective. Car pourquoi créer, si ce n'est pour tendre au Sublime? En notre fin de siècle/des Temps si mercantile, où tout doit absolument se conjuguer au profit et à la rentabilité à court terme, ces incursions dans l'Idéal platonicien ne mènent à rien, sinon à la dissipation thermodynamique, le Chaos primordial pas trop loin derrière. Une injuste brèche à la logique des managers scientifiques, des chaînes de montage, des dictateurs à cravate. Arbeit macht frei[105], ne faut jamais l'oublier, comme si cette devise avait prédaté l'Horreur nazie, comme si nous naissions avec ces codes-barres tatoués sur les avant-bras. Arbeit macht frei[106], jusqu'à l'épuisement, jusqu'à la délivrance du cercueil, jusqu'à la félicité de la corne d'abondance des loteries/escroqueries, le mensonge étatique à son meilleur. L'imposition indirecte fut une trouvaille sans précédent dans l'historiographie du génie humain. Payons nos comptes et soyons heureux, endettons-nous et apprécions notre liberté. La vie est si belle!

La légitimité des bourreaux est sans conteste. Ils s'habillent tout de noir, une cagoule dissimulant leurs traits, mais chacun connaît leur identité, ils sont pointés du doigt, les murmures les suivent, toujours prononcés dans leur dos. Ils suscitent la crainte et le dégoût, ils évoquent la cruauté, même s'ils agissent pour le bien général. Ils désherbent l'espace public commun, ils assainissent la viciation inévitable des relations humaines. Ils incarnent la Justice muette, et non aveugle, vengeresse, et non impuissante. Ils garantissent la préservation du Contrat social implicite[107]. Leur lame tranche les débats, coupe les

105. Respirer la guigne des guénilloux.

106. Mastiquer tant qu'il reste des grumeaux.

107. « On regagne Rome par petites étapes, et sur le passage de l'escorte impériale, de l'immense escorte qui semble entraîner avec elle les pays qu'elle a traversés, de faux empereurs se manifestent. Des colporteurs, des ouvriers, des esclaves qui, devant l'anarchie régnante et voyant bouleversées toutes les règles de l'hérédité royale, croient pouvoir être rois, eux aussi. » Antonin Artaud, *Héliogabale ou l'anarchiste couronné*, Paris, Gallimard, coll. « L'Imaginaire », 1979, p. 106.

mauvaises langues, étripe les contestataires importuns, en les soumettant à la Question, référendaire ou non, tortures en sus ou tout simplement implicites. Car il faut briser l'individu, il faut le vider de sa substance, le retourner comme une crêpe dans la poêle brûlante, la chambre obscure enfumée de chair roussie. Les bourreaux agissent avec détachement et abnégation, retournent à la maison après les séances de carnage s'occuper de leurs enfants, faire réciter les leçons, changer les couches des bambinos, écrémer le lait maternel coulant à flots dans l'extracteur à hormones.

KADEWE[108]

Oyez, oyez, peuple de larves !
La vie n'est qu'une longue file d'attente
Prépare ta carte de guichet
Temps des retraits et des faillites préventives
Les premiers seront les derniers insatisfaits
Dialectique presse-bouton
La faim justifie tous les moyens
Les obèses cannibalisent les spare ribs
Nihilisme de la 6-49[109]
Encornés par la corne d'abondance par trop parcimonieuse
Que valent les souhaits d'une cenne au fond du puits tari
Les espoirs s'envolent en classe affaires
Les poules n'ont toujours pas de dents

Consommation effrénée des années d'uranium
L'Âge d'Or de l'Humanité mérite bien pareilles immondices
Avec quoi sinon calfeutrer les trous de balle nous ornant les tempes
Dans nos bunkers assiégés de spectres squelettiques
La vie a meilleur goût lorsqu'arrosée du sang de la Multitude
Amen hallelou-Yah en vérité je vous le dis
Les centres d'achat poussent comme autant de champignons atomiques
Jouvence des porcs se vautrant dans leurs fèces
Les requins de la finance ont les dents longues
Sanctuaires multicolores du naufrage annoncé[110]
Quand serons-nous enfin délivrés de nos chaînes
Rêves d'exécutions massives sur les places publiques
Avant de manger l'asphalte en entrée
Oyez, oyez, peuple soumis !

108. La termitière carnavalesque.

109. Mise en abîme des rêves de pauvre.

110. « Le théâtre et la danse du chant sont le théâtre des révoltes furieuses de la misère du corps humain devant les problèmes qu'il ne pénètre pas ou dont le caractère passif, spécieux, ergotique, impénétrable, inévident l'excède. » Antonin Artaud, *op. cit.*, 1975, p. 116.

Ersatz de bonheur sur la Catherine déhanchée
Le Bonhomme Carnaval dépucelle les écolières à minijupe
Elles volent au-dessus de votre table !
Le spectacle de la décadence à plein régime
Sotériologie de la divine monarque britannique côté face et pile
Sa binette proprette sur les billets blancs de coke en stock
Oyez, oyez, peuple de la lie !
Tu n'as pas assez souffert sous les fouets des bouchers
Ton dos lacéré de stupre suppure d'apostasie
Mais tu te soumets de bonne grâce
L'apathie des ventres pleins
Céline étale sa viande crue de syphilitique[111]
Ubiquité du rabais à Babylone la vertueuse[112]
N'a-t-elle point chanté pour la putain pontificale
Nouvel arrivage des tuniques de martyr
Le cheveu d'indigent fait du bien bon tissu cancéreux
Moult profits pour les sangsues à crédit platine

Toutes les trouvailles s'abaissent en des clonages insipides
Le nivellement règne en maître chez les décérébrés du capital
Qu'est-ce que l'opium face à cette aliénation sans tache
Le désespoir se vit terré dans un cocon d'esseulement
Culpabilité de la différence, sentence d'exclusion
Les regards fusant sur les marginaux à chevelure vert pomme
Nous sommes heureux de nos vies préfabriquées en laboratoire
Même Raël se crosse au son de la musak des Centres à la Mode[113]
Jouissons de l'inégale prospérité de la charogne
Euphorie des esclaves ignorant leur sujétion

111. « La nature est la vie. La vie est la nature. Le singe est la nature. L'homme est la nature. Le singe n'est pas la nature de l'homme. Je ne suis pas le singe en l'homme. Le singe est Dieu dans la nature, car il ressent les mouvements. Je sens les mouvements. Mes mouvements sont simples. Les mouvements du singe sont compliqués. Le singe est bête. Je suis bête, mais je suis doué de raison. Je suis un être doué de raison, et le singe n'est pas doué de raison. Je crois que le singe descend de l'arbre, et l'homme de Dieu. Dieu n'est pas le singe. » Vaslav Nijinski, *op. cit.*, p. 41.

112. Avez-vous payé votre dîme, bande d'impies ?

113. Animation spéciale du nouveau millénaire ; les papiers-mouchoir ne sont pas inclus, soyez-en avertis.

Il faut sourire à la Caisse Populaire
Et manger sa croûte à la soupe enregistreuse
L'Armée du Salut est débordée d'appels à l'aide
Sourde oreille et œillères Christian Dior
Remercions les Dieux de nos lots surannés
Oyez, oyez, peuple à genoux dans la dépendance
L'heure des comptes approche à grands pas
Prépare tes économies à la prochaine hausse du coût de la vie
Tu y perds l'âme qui manque à ta collection de kitsch gomme balloune

Toutes les garces technopop[114] suivent la marche funèbre du bon sens
Elles s'engouffrent dans les cratères d'acné parsemant les ruelles du désir
L'abîme leur sied telle une plaie d'Égypte balafrant l'apparence
Les Barbies siliconisées perdent leur perruque par mèches de dynamite
Les armées de Kens en rut déferlent
Directement dans les hachoirs à viande des fronts oubliés
L'événement marquant hebdomadaire
Gracieuseté du ministère de la Propagande
Agitez vos feuilles d'érable pissant l'hématémèse des brebis charcutées
La honte est apatride et ignore le multiculturalisme
Communier à l'insolence des fonctionnaires blasés de stérilité
Tout s'achète sur le marché de la chair
Oyez, oyez, peuple de Poutineland
L'inventaire de l'Abject n'en finit plus de croître
Tu as l'embarras du choix dans ta quête de l'incohérence
Le boulevard Taschereau te débloquera les artères de toute ignominie[115]
Peuple choisi, prends ta place au soleil de la déraison
Liche les semelles de bottes des gestionnaires de ta pureté[116]
Porte les eaux vaseuses de ta décrépitude
Dans le confort de tes trous de beigne et de ton lazy-boy acumassage

114. « C'est la plus vieille spécialisation sociale, la spécialisation du pouvoir, qui est à la racine du spectacle. Le spectacle est ainsi une activité spécialisée qui parle pour l'ensemble des autres. C'est la représentation diplomatique de la société hiérarchique devant elle-même, où toute autre parole est bannie. Le plus moderne y est aussi le plus archaïque. » Guy Debord, *op. cit.*, p. 11.

115. « Seule la guerre à perpétuité explique une paix qui n'est qu'un passage, ainsi qu'un lait prêt à verser explique la casserole où il bouillait. » Antonin Artaud, *op. cit.*, 1975, p. 54.

116. Par déclarations de revenus interposées.

◈

Les jours se suivent et se ressemblent sous l'égide de la Sainte Communauté des Anencéphales. Il ne reste rien à attendre de la masse, celle qui tend le cou à la hache des édits impériaux. Ils sont chair, à canon ou à industrie esclavagiste, à la marche du Capital dans une macroéconomie athée et païenne. Les chaînes de montage crachent des crucifix à la tonne, question d'alimenter les naïfs se rendant aux sites de pèlerinage, espérant à tort une quelconque intervention divine, genre guérison ou in/succubation. Sans avoir la moindre idée que, lorsque le Grand Barbu Sale décidera de se repointer, il ne le fera pas en tapette ni en fifi (dixit Jacob Easter[117]), mais bien en un croisement de Rambo et d'Ultraman, AK 47 à la main, fauchant les rangs de chaises roulantes comme des quilles au Bowling-Darling. Voilà la vraie foi, celle qui nous sauvera de nous-mêmes, celle qui nous baptisera de crème glacée à la vanille sur un boulevard Taschereau apocalyptique, l'heure de pointe de baïonnette, en pleine canicule d'une tempête de verglas. Peuple rongé de vers, attends ta délivrance, it's coming down fast, it's such a scream[118], je suis amoureux de la dame en bleu. Surtout, que celui ou celle qui n'a jamais péché lance la première balle à la partie d'adieu des Expos de Montréal.
Le terrorisme intellectuel se mange pour déjeuner.
Faire attention aux p'tites vieilles traversant la rue sans regarder des deux côtés.
Whip it good[119].
Une tumeur grosse comme un pamplemousse.
Bloquant le côlon du colon.
Jusqu'à ce qu'il vomisse ses propres fèces.
Déjection des déjections, Batman !
Je remets mon âme entre tes mains crottées.
Poussière tu retourneras à la poussière.

117. « Jacob Easter, alias Jacques Paquette (1944-1985), second avènement du messie sur terre. Bien que méconnu de son vivant, il est vénéré par la Conscience des Crapets-Soleil, mouvement orgiaque fondé par Sylvain Trudel en 1979 à Brossard. » Caghan Ebügen, *op. cit.*, 1997.

118. Ne sous-estimez pas les vampires affamés du boulevard Saint-Laurent.

119. Dansons le rigodon.

Tout est vanité en ce monde de showbizzz.
Dans l'antichambre du Shéol.
Combien de décimales compte π sinon l'infini de notre oppression ? N'est-ce pas assez pour se soulever, enflammer les murailles de la prison, prendre la Bastille et guillotiner les sangsues à titre de noblesse ? Lors d'un carnage particulièrement fluide, les grands prêtres aztèques ont sacrifié plus de quatre-vingt mille oblats, leur harponnant la poitrine de leur coutelas d'obsidienne jusqu'à en extraire la fleur écarlate, encore battante, dégoulinante de nectar, à la gloire de l'astre du jour, Tonatiuh l'insatiable. Et les hectolitres de sang pleuvant sur les offrandes, les caillots redoublant de fétidité à l'approche de Quetzalcóatl, le serpent à plumes, Vénus rising à l'horizon matinal dans son armure espagnole. La réalité toute crue, toute sauvage, la cruauté de l'Homme pour l'homme, la faim de loup, le Wolfschanze en Prusse orientale, et hop ! les défilés aux flambeaux à la noirceur de la barbarie avec orgue, sous forme d'une fugue de Bach lors du bombardement de Dresden, les B-17 en formation cruciforme déversant leurs chapelets de phosphore comme la pluie de roses prophétisée par Sainte-Thérèse de l'Enfant-Jésus et de la Sainte-Face. La petite voie de la souffrance, celle qui se vit en silence et qui s'oublie sur le stipes conjugué au patibulum, les poignets percés de clous de neuf pouces.

STAATSSICHERHEIT[120]

Les barbares déjà parmi nous
Regardez-les flâner dans nos villes utopiques
Ils polluent par leur immonde présence
Ne connaissent ni respect ni autorité
Puanteur de la mollesse morale
La contestation germe en leur cervelle dépravée
Suppôts du Chaos et de la Noirceur
Délinquance à dompter
Tous les moyens sont permis
Milichiens de la soumission à vos marques
Il faut savoir tolérer l'intolérable de la répression musclée
Les sacrifices abondent en l'asile de la Pureté

Gaz moutarde, sarin ou ébola, qu'importe
Nous ne partagerons nos richesses qu'avec des élus rigoureusement sélectionnés
Savoir mériter le Salut car Gotham City siège en club privé de toute pitié
Le tiers monde s'étend tel du Mapospread[121]
Lâcher lousse les loups-garous de l'Ordre
Trop de bouches à nourrir résulte en un profit pour le moins minime
Plus d'excuses humanitaires
Taire les objections intérieures
La désinfection s'impose à l'Eucharistie des épouvantails
La Communion des Morts[122] encensée par la putain romaine
Libération d'outre-tombe en ultime promesse vide
Soyons heureux dans nos bunkers richards triple béton
Tant que le champagne coule à flots
Les rosbifs de nécessiteux possèdent des vertus rajeunissantes

120. La Papemobile.
121. Avec ou sans lubrifiant.
122. « Les sanglots des martyrs et des suppliciés
Sont une symphonie enivrante sans doute,
Puisque, malgré le sang que leur volupté coûte,
Les cieux ne s'en sont point encore rassasiés ! »
Charles Baudelaire, « Le reniement de Saint Pierre », *op. cit.*, p. 143.

Les tsars de l'illumination pornographique jubilent
L'obscénité des chairs putrides aura atteint un sommet inégalé
Carcasses hachées se vendent au gigot
Bombardement intempestif de vidéoclips ultraviolents
Divertir la masse du bétail à consommer
Ils franchissent le seuil de l'abattoir
En turlutant le palmarès des inepties
Répétition hypnotique du nihilisme nécessaire[123]
L'abnégation ovine totale assurera la mainmise triomphante
Les cotes boursières montent en flèche
Spéculations sur la ruine collective
L'Apocalypse saura attendre la vente de feu
Raviver le marché des indulgences
Les croyants hébétés se précipiteront sur les gilets pare-enfer
Ils campent déjà aux portes des confessionnaux
Égrenant leurs chapelets en ossements d'avortons

Et nous qui œuvrons à aplanir la dissidence
N'espérez rien de nous sinon le théâtre de la Cruauté
Il n'y a pas assez de croix pour satisfaire notre férocité décadente
Enfoncer les clous de la passive docilité
Les exécutions publiques en morceaux d'anthologie
Règne de la peur et ensemencement de la violence institutionnelle
Qui êtes-vous sinon nos laquais et esclaves[124]
La loi de la jungle urbaine
Nous ne tolérons aucune critique aussi constructive soit-elle
Inertie des privilèges encroûtés d'avarice

123. « Si le monde est composé de souffrance c'est parce qu'il est, essentiellement, libre. La souffrance est la conséquence nécessaire du libre jeu des parties du système. Vous devez le savoir et le dire. » Michel Houellebecq, *op. cit.*, 1997, p. 10.

124. « Quel peuple fut à la fois plus grand et plus cruel que les Romains, et quelle nation conserva plus longtemps sa splendeur et sa liberté ! Le spectacle des gladiateurs soutint son courage ; elle devenait guerrière par l'habitude de se faire un jeu du meurtre. Douze ou quinze cents victimes journalières remplissaient l'arène du cirque, et là, les femmes, plus cruelles que les hommes, osaient exiger que les mourants tombassent avec grâce et se dessinassent encore sous les convulsions de la mort. Les Romains passèrent de là au plaisir de voir des nains s'égorger devant eux… » Donatien Alphonse François, marquis de Sade, *op. cit.*, 1976, p. 245.

Seul le mépris sait se partager
Et nous en avons à revendre[125]
Nous monnayons la diarrhée de lombric en hamburgers préfabriqués
La sauce abjecte assure l'apathie du discernement

Nos oreilles électroniques vous écoutent
Nos œils-de-bœuf enregistrent vos moindres mouvements
Nos armées des ténèbres regorgent d'informateurs
Impossible de résister à notre dictature insidieuse
Nous régnons inatteignables de nos édifices fortifiés
Vos faibles émeutes ne nous émeuvent guère[126]
Les grèves de la faim nous divertissent
Nous préférons les immolations par le feu de moines chauves
Elles font monter les cotes d'écoute
Réification des actes solennels évidés de tout sens
La vie se tisse d'injustices corporatistes
Vous nous ennuyez jusqu'aux larmes
Apprenez à souffrir en silence tout en avouant vos lèse-oligarchies
Notre toute-puissance s'alimente à votre infériorité

125. Surtout lorsque l'amour se substitue au chocolat.
126. Devriez pourtant le savoir : on n'arrête pas le progrès des automates.

◈

Je rêvai d'un monde parfait, d'une Utopie incarnée, enfin, en réponse aux supplications de la multitude. Un relèvement de la profonde dépression, du travail significatif pour tout un chacun, gagner sa vie honnêtement, honorablement. Et de l'ordre, venant effacer par parades d'uniformes le chaos des dernières décennies. Qu'importe les désagréables purges, l'hystérie raciste, la rhétorique belliqueuse. Notre Nation impose à nouveau le respect, nos faibles voisins tarés tremblent. Nos vaillants ouvriers/soldats érigent une révolution millénariste. Nous libérons l'Europe, puis le monde. Nous civilisons la barbarie moderne, effaçons la dégénérescence bolchevique, matons la ploutocratie capitaliste. Rien ne sait nous résister. Nous attaquons comme l'éclair, nos divisions déferlent sur les vastes étendues laissées en friche. Mais ce rêve de se transformer en cauchemar, les hordes de n'accepter le joug affranchisseur, nos chevaliers sont honnis, la noirceur de leurs tuniques attise la haine et le dégoût. Nous baignons dans le sang des oblats de l'inutile, politique de terre brûlée, ne rien laisser aux sous-hommes venant nous exterminer. Le combat s'achève en une hécatombe au cœur de notre Empire, l'Aigle est délogé de son aire, il n'y a plus d'espoir. Nous aurons été vaincus par les buveurs de vodka et les mangeux de Big Mac. Toute spiritualité aura disparu avec nos chants macabres et gutturaux.

– Le socialisme seul sait régir l'appétence de l'Humain.

– La masse appelle la masse, l'individu est à noyer, il est seul, et sa faiblesse s'incarne dans cette honnie solitude. Il doit être exterminé sous les rafales de slogans, il doit pouvoir chantonner tous les messages publicitaires dont on le bombarde[127]. Il doit se taire, il doit se conformer, il doit payer ses impôts et taire ses protestations. Il doit voter pour ses exploiteurs, il doit vénérer les décérébrés qui l'amu-

127. « Sans doute, le pseudo-besoin imposé dans la consommation moderne ne peut être opposé à aucun besoin ou désir authentique qui ne soit lui-même façonné par la société et son histoire. Mais la marchandise abondante est là comme la rupture absolue d'un développement organique des besoins sociaux. Son accumulation mécanique libère un *artificiel illimité*, devant lequel le désir vivant reste désarmé. La puissance cumulative d'un artificiel indépendant entraîne partout *la falsification de la vie sociale*. » Guy Debord, *op. cit.*, p. 44-45.

sent. Il doit être heureux, transfiguré d'antidépresseurs, de Prozac et de Lithium, de Valium et de Viagra. Il doit être cloné dans les mêmes vêtements, la même automobile, le même bungalow/boîte à savon, il doit écouter les inepties qu'on lui sert au petit écran, il doit savoir faire la file à l'occasion d'événements culturels d'importance douteuse, il doit savoir faire le beau et endurer sa laisse.

– Prolétaires de tous les pays, crevez dans les goulags de la conformité!

– Staline et l'Oncle Sam ont dansé ensemble la polka de l'apocalypse.

– No future! No future![128]

– Et le Messie se lèvera, du sein des carcasses froides de Sibérie intersection Chicago, il ouvrira la bouche, et le Glaive de sa Parole viendra étêter les haut-parleurs du Néant. Il portera l'armure de la Vengeance et passera ses fins de semaine à Disney World.

– Défiler au son des tambours de la fin des temps, avancer sur la Via Dolorosa de l'Occident décrépit, mille ans de bonheur et d'anéantissement, les fours crématoires fourniront à peine à la demande. Le karma des indigents n'aura jamais été aussi libérateur, des montagnes de cendre humaine qui s'empileront jusqu'à la lune, le rigodon des exclus et des prophéties de la Sainte Vierge.

– Pour une minute, je me suis mis à espérer, à revivre l'allégresse de l'innocence, une ère nouvelle venant délaver la pourriture nous obstruant les sens. Mais non, nous demeurons lépreux, personne ne nous pardonnera nos crimes, nous resterons à jamais les damnés de l'Histoire, la bande de Moebius de l'éternel retour, un pas en avant, un pas en arrière, sur un menuet d'amalgame italien.

– Le Comité suprême du Soviet des peuples vient de décerner à titre posthume la médaille de la révolution à Désiré Aerts, dit l'oncle Pierre, dit Savinien Hercule Bien de Vostre-Dame, pour son travail digne d'éloges auprès de la jeunesse progressiste de nos contrées dévastées par le grand mal. Il s'illustra notamment avec son comparse Midas, puis fit halluciner toute une génération avec son trippant tripoteur grâce à l'émission *Kaléidoscope*, qu'il anima avec brio. Ses ossements alimentent un trafic revigoré de reliques; il est conséquemment

128. Demain matin, Montréal m'attend!

recommandé de bien vérifier l'authenticité des spécimens en circulation sur le marché, idem pour les cas suivants : René Angélil, Mickey Mouse, Andy Kaufman, Bruce Wayne, Martin Bormann et Miss Tinguette[129].

– J'ai une attaque de nausée, est-ce assez visible ?

– Que saint Antonin nous vienne en aide !

– Soylent Green is people[130] !

– Il n'y a plus de superhéros depuis le suicide de la statue de la Liberté. Ou serait-ce depuis Van Gogh ? Quoi qu'il en soit, cette « Liberté » n'est plus qu'une marque de couche, au grand déplaisir du Falardeau patriotique. Une couche remplie à ras bord de merde et de diarrhée purulente, d'obsession fédéraliste et de vomi provincial/nationaliste. Bienheureux les creux, le Québec est à eux ! Le rêve de 1976[131] pourrit de négligence dans son sarcophage poussiéreux, la Nation dérive à l'aube du millénaire effondré. Les Hespéries ont oublié la signification de l'imaginaire, les appels rassembleurs lancés à la multitude en rémission des péchés. Quelles que soient l'origine, la langue, la couleur. Non, il faut diviser au plus petit dénominateur commun, se resserrer le bas de laine et le cass' de bain avec la ceinture fléchée en nœud coulant autour du cou. Viva l'indépendance des assureurs-exploiteurs de la faiblesse humaine ! Régner par la peur et la xénophobie, régir par le nivellement collectif et les compressions budgétaires, construire des autoroutes entre des bleds enlacés de promesses électorales. La fierté a un prix, la stupidité aussi.

129. Les derniers joueurs repêchés par les défunts Jets de Winnipeg.

130. L'argent n'a pas d'odeur.

131. Vous rappelez-vous du Beau Risque, celui-là même que vous avez échangé en achetant votre bungalow/BMW ?

MEIN KAMPF[132]

Je rêve d'empires sur des cartes routières périmées
Mes chimères ont défilé sur les Champs-Élysées
Mais le vide se crispe en mon cœur de marbre
Germania n'est qu'un plan sans lendemain
Creuser la terre blonde de tranchées d'atroce
Il faut incendier le Walhalla
Les héros sont morts exsangues de courage
Les Walkyries[133] ne suffisent plus
Le crépuscule s'affirme à l'horizon dévasté
Décombres par-dessus ruines
Qui relèvera le temple au bout de trois jours ?

L'écarlate entache mon âme meurtrie
Qui ose contester l'absolu de ma défaite
Les pleureuses accompagneront ma carcasse au crématoire
Je ne laisse d'héritier
Sinon les hordes d'indigents sur les routes éventrées
Je suis la Bête, je suis le Mal
Que l'on enchaîne pour mille ans
Au puits de l'Abîme[134]
Je vous aurai pourtant aimés
À en prendre vos fils et les sacrifier solennellement
Ma guerre totale aura sarclé la faiblesse endémique
Mon dégoût vous accompagnera jusqu'au confessionnal
Vous n'effacerez pas de sitôt les caillots vous souillant les mains

132. La bible brune.

133. Meneuses de claques de l'Armée du Salut.

134. « L'homme, quand on ne le tient pas, est un animal érotique, il a en lui un tremblement inspiré, une espèce de pulsation productrice de bêtes sans nombre qui sont la forme que les anciens peuples terrestres attribuaient universellement à dieu. Cela faisait ce qu'on appelle un esprit. Or, cet esprit venu des Indiens d'Amérique ressort un peu partout aujourd'hui sous des allures scientifiques qui ne font qu'en accuser l'emprise infectieuse morbide, l'état accusé de vice, mais d'un vice qui pullule de maladies, parce que, riez tant que vous voudrez, mais ce qu'on a appelé les microbes, c'est dieu, et savez-vous avec quoi les Américains et les Russes font leurs atomes ? Ils les font avec les microbes de dieu. » Antonin Artaud, *op. cit.*, 1975, p. 102.

Et malgré tous vos efforts je sais survivre
Au fin fond de vos consciences vierges de remords
Vos délires d'exclusion ravivent ma mémoire
Je déambule dans vos rues hantées d'uniformes répressifs
Vos structures concentrationnaires sont impeccables
Inventer l'innommable puis le légitimer par lois d'exception
La démocratie poudre-aux-yeux en sortilège de solution finale
Taux d'intérêt des cartes de crédit désâmées de compassion
Avaler la chair humaine en fosses communes béantes
L'amoralité ne connaît ni frontières ni limites
Je ne pourrais avoir de plus dignes successeurs
Qu'importe si la croix gammée fut remplacée par le signe de piasse
La race des Seigneurs a su préserver ses privilèges
La défaite apparente s'est transfigurée en victoire complète
Ma réhabilitation ne saurait tarder

Déjà s'affairent les armées à préparer la prochaine Blitzkrieg
Les usines tournant à plein régime pour accoucher des nouveaux monstres
Tant de champs de bataille à déflorer d'inventions assassines
Ne faudrait pas gaspiller les efforts des doctes de l'Irresponsable
Peut-être pourrai-je revenir hanter les brasseries enfumées
Revêtir à nouveau ma tenue feldgrau[135] et afficher ma croix de fer
En avatar de la grandeur de notre civilisation
Je fus l'hier et serai le demain
Rien ni personne ne peut m'échapper
Vous n'avez compris ce qui anime ma haine viscérale
Examinez-vous bien dans une glace et voyez mes traits apparaître
Archétype de la détresse toute en dents se sentant fort coincée
Qu'est-ce que les deux tiers de l'Humanité
Sinon une plume dans la balance
Les deux premières hécatombes n'auront été que d'utiles répétitions
Qu'enfin éclate le temps prophétique des tribulations[136]
La vraie nature de l'Homme émergera au grand jour

135. Joyeuse teinte de Seconde Guerre mondiale.

136. « Et je vis d'un œil apeuré le Soleil se lever à l'ouest, les éclairs envahir les firmaments, la terre se lézarder sous le poids de l'iniquité, et les hommes se vautrer dans la boue de leurs péchés trop noirs pour jamais être absous. » Marc Pelletier, *op. cit.*, p. 897.

En attendant, gargarisez-vous de risible pacifisme de pacotille
Les faibles s'éclipseront dans la tourmente salvatrice

Et malgré toutes vos protestations
Toutes vos pétitions d'inutile et vos sondages bidon
Les cohortes des ténèbres paraderont au pas de l'oie
Mains délavées à la Ponce Pilate des atrocités requises
Coloniser l'Abject de la rationalité nécessaire
Vous m'avez appelé, je rentrerai par la grande porte
Prêt à jouer le rôle ignoble ô combien indispensable
Mieux que quiconque et au-delà de vos espérances les plus désespérées
Le garde-fou de vos cauchemars intimes
Ceux-là mêmes que vous n'osez vous avouer
Préparez-vous à la traversée du désert car elle sera longue
Le ciel doit se construire par briques d'enfer
La Vérité[137] se montrera bien indigeste
Je sèmerai le doute dans le cœur des purs fidèles
Ma marque couronnera votre perte ultime
Jugement dernier ne rime guère avec pitié des faibles

137. « Continuez. N'ayez pas peur. Le pire est déjà passé. Bien sûr, la vie vous déchirera encore ; mais, de votre côté, vous n'avez plus tellement affaire avec elle. Souvenez-vous-en : fondamentalement, vous êtes déjà mort. vous êtes maintenant en tête à tête avec l'éternité. » Michel Houellebecq, *op. cit.*, 1997, p. 27.

◈

L'indifférence qui s'installe, la tiédeur, la froidure. Les mots s'estompent, les gestes deviennent brusques, la patience fait lacune. Il n'y a rien de bien particulier à ce climat de glaciation, seulement le regret des jours d'antan, ceux qui se sont évanouis comme des spectres apeurés. Et le temps ne se rembobine pas, il n'y a aucune marge d'erreur, il faut vivre les conséquences comme autant de gifles du Destin. Il ne reste rien d'autre à faire que s'autodiscipliner et affronter la triste réalité, aussi pénible soit-elle. Mais le poids des erreurs a tendance à s'accumuler avec les années, faisant tanguer la barque. Les larmes montent parfois, les mains se crispent, les souvenirs s'enflamment et le cœur sombre au fond de la mare, lesté de plomb et de béton. La vie est amorale, et cette amoralité n'est pas cruelle, elle est dure[138]. Du darwinisme psychologique. Les plus forts survivent jusqu'à l'alzheimer, la sénilité postmoderne du trou dans la couche d'ozone. À moins d'agoniser jusqu'au bout de sa vitalité d'un cancer se généralisant dans les douleurs ultimes, abandonné de ses proches, subissant l'acharnement thérapeutique des « professionnels » de la santé (les médecins-piasses-dans-la-poche, les infirmières-astrolophages aromathérapiques). Non, la vie dans sa brutalité n'a aucun sens. À l'individu de s'y forger un sens, une discipline, et abandonner le superflu, se dévouer tout entier à ses convictions et bâtir pour ses enfants. Sinon, aussi bien se suicider dans la minute, en finir avec l'illogisme. Rejoindre Dieu ou le Grand Néant, au choix (et/ou/toutes ces réponses[139]).

138. « La Domination, c'est-à-dire le triomphe d'un nouvel ordre sur les espaces anarchiques, n'est possible aujourd'hui que comme une représentation de la Figure du Travailleur qui prétende à une validité planétaire. On voit s'ébaucher de nombreuses voies qui permettront d'atteindre cette représentation. Toutes ces voies se caractérisent par leur caractère révolutionnaire. Révolutionnaire est la nouvelle humanité qui apparaît comme type, révolutionnaire est la croissance des moyens qu'aucun des ordres sociaux et nationaux traditionnels ne peut assimiler sans contradictions. Ces moyens se transforment entièrement et révèlent leur sens caché à l'instant même où une Domination réelle, indiscutable, se les assujettit. En cet instant, les moyens révolutionnaires deviennent légitimes. » Ernst Jünger, *op. cit.*, p. 247.

139. « La science prouve que tous les maux qui secouent notre vie ont leur origine en nous-mêmes. Retournons-nous vers nous-mêmes pour nous guérir ! Le lavage de cerveau est la seule thérapie qui s'attaque directement aux *causes* de nos malheurs. » Matei Visniec, « Le laveur de cerveaux (I) », *op. cit.*, p. 72.

VERBRANNTE ERDE[140]

Les croquettes de poulet synthétique se détaillent en heures de vie
L'attention du téléspectateur moyen oscille autour de trois mots
minute
Les ponts menant à l'asile débordent de barbares banlieusards
Embouteillage monstre sur le Métropolitain
Emmène-nous à la Ronde des écervelés
Batman expérimente toutes les positions du Kâma sûtra dans
un épisode inédit
Je vote Loi Naturelle et lévite au-dessus de la mêlée si mêlée
Faites confiance au colonel Sanders
La friture dégouline d'univers parallèles
Mon'onc Corey devrait avoir l'honneur d'un seppuku au centre
de la glace[141]
Pas facile de parfaire la vente de miction houblonnée
Rien qu'une danse à dix ne saurait régler
Clic clic clic les japonais photographient l'éphémère

Les délires mutilatoires des Miss Bungalow nymphomanes
Jusqu'où refouler la circulation sur la 40[142]
Électrochoc et tétanie convulsive
Le nivellement spirituel exige sa livre de chair
Suffit de devenir membre et de passer au cash
Le Q-bec est fort de ses barrages restrictifs
Se libérer du joug des Anges de la Mort
Écoulement sanguin insuffisant
Se baigner dans le Saint-Laurent au mépris des étrons ontariens
Hurler à la pleine lune, un verre de champagne à la main
Dévastation sans précédent
Le millénaire commence sur les chapeaux de roues
Qui veut succéder à la grand-guignolesque Lorraine Pagé[143] ?

140. Terre promise.
141. Au lieu de tirer sa révérence comme monsieur Silencieux.
142. Planification urbaine en idéal terroriste.
143. Rien qu'un autre avatar des Harpies antiques.

Je me meurs du cancer de l'âme
Métastases de la foi vide de christs et d'esprits sain(t)s
Apokalypso dans l'anus du rocher Percé
J'ai perdu mes filles à la miaou maudite
Mon cœur en mille miettes éparses sous la bise automnale
J'ai trop chanté la fin des temps
Plus qu'à attendre ma tombe en dernière délivrance
Pendant que ma seule famille s'efforce de m'oublier
Nomadisme désespéré et vague à l'âme accablant
Où trouver refuge sous la grêle des lames de rasoir
Je retraite face à l'offensive du Mal depuis si longtemps
Défaitisme de pacotille
Le temps du pain noir s'éternise
Fermer les yeux et inspirer profondément jusqu'à la fin de l'ondée d'obus

Où tracer la frontière entre l'Abject et le Sublime
L'écriture en combat contre sa propre médiocrité
Angoisse absolue des orgues de Staline
Redécouvrir les bienfaits de la Guerre mondiale
L'exil des peuples et l'anéantissement des indispensables
Étêter la reine de Quatre-Saisons en l'accouplant au beau Serge
Les vertueuses libertines de Regina Assumpta sont en rut
Le cinquième soleil tire à sa fin
Accouchement d'un mort-né messianique
Averse de feu sur les sacrifices humains
Extraire les fruits de cactus aquilins encore battants
Oblation des vicaires de Dieu
La dette de sang n'en finit plus de grever l'existence
Savoir s'offrir comme une fleur hallucinée de chocolatl
Souffrir voluptueusement sous la lame d'obsidienne

Le Sahara n'en finit plus de conquérir les esprits faibles
Étalement urbain en confiture de curetage
Ouvrir une pizzeria à Lhassa sous tutelle maoïste[144]

144. Et parsemer les tartes italiennes de rêves socialistes avortés.

L'avenir est dans la restauration des âmes blindées
Entendez-vous les beffrois de la Grande Tribulation ?
Emmagasiner les conserves pour survivre à la tempête
Le Royaume des Cieux est si proche[145]
Il roule sur les campagnes à la recherche de viande mobilisable
Voracité des troupes d'élite se gargarisant de napalm
L'odeur de la victoire Totale est inoubliable
Vive le nombrilisme de l'éternel présent
Il importe de rajuster ses œillères après chaque décharge salvatrice
Crisser des dents sur le mors car les convulsions seront violentes
Électrification comateuse en une amnésie euphorique
Tabula rasa jusqu'à la prochaine consultation
N'oubliez pas de prendre rendez-vous

145. « Quand tu verras la porte du Trésor de la grande lumière — elle s'ouvre sur le treizième Æon et elle est à gauche — quand on ouvrira cette porte-là, eh bien ! les trois temps seront accomplis. » *Pistis Sophia*, *op. cit.*, p. 86.

Pour en finir avec la politique. Les facettes de la Question, aussi fondamentale soit-elle, celle-là même qui s'embrume derrière la démagogie tous azimuts des quémandeurs du majoritaire. Peu importe la phrase vaporeuse qui orne le bulletin de vote, peu importe l'absence de débat intelligent ou significatif. Il faut trancher sur les promesses et les graissages à rabais, les listes de réclamations des uns et les griefs des autres, la xénophobie des pures-laines et l'arrogance des Angles qui chantent l'Amour mais se gargarisent au vitriol.

Faudrait croire les vestales à moitié folles qui découvrent des gants de cuir en prépuces de jouvenceaux dans leur sacoche, par envoûtement de quelques démons déconfessionnalisés portant des mitres d'évêques lubriques et s'abreuvant de foutre et de chapelets liquéfiés.

Je ne crois plus un mot de ces représentants de la Pensée Unique quoique Diversifiée. Je ne crois plus un mot des annonceurs fantômes à moins que le slogan n'ait été entendu à Saint RDI[146].

J'attends le signal des vrais révolutionnaires de la Sincérité, pas de ces lâches incapables qui jettent les corps des porcs-ministres dans des sacs Glad et finissent dans l'édition des feuilles de chou pilonnées par manque d'intérêt.

J'attends que nos universités pendent ces faux-monnayeurs du Savoir nommés professeurs agrégés, surtout les garces dégoulinantes enseignant l'histoire de l'art avec la désinvolture d'une sangsue pestiférée, et libèrent l'âme nationale de leur culture doctorat-fond-de-poubelle.

J'attends les charniers qui nous débarrasseront des MBA[147] métastatiques et des taux d'intérêt coupe-gorge.

Car j'ose espérer que la Liberté se conjuguera avec la Cruauté, la pure, indistincte, invincible Cruauté, celle qui fait haleter d'envie les multitudes de spectres des hiers inassouvis.

Déjà la jeunesse assemble les croix qui serviront aux supplices publics et parapublics. Les forges de la Révolte coulent l'acier des clous de neuf pouces. Les garderies débordant d'abandonnés de la petite enfance roulent les couronnes d'épines. Ne reste plus qu'à pisser le

146. Résonnez, Dandis Imbéciles !
147. Malfaisants Branleurs Apathiques.

vinaigre qui pimentera les exécutions subventionnées par Hostess et Dulac[148].

Briser une fois pour toutes le cycle de la médiocrité endémique.

Abolir les assemblées de l'oppression gouvernementale, le maintien de l'Empire et du Royaume. Renverser la dualité manichéenne du vide noir-blanc, bleu-rouge, fédéral-provincial.

Car je suis fatigué d'entendre la turlute de la bataille des plaines d'Abraham.

Je suis écœuré des feuilles d'érable (n'en déplaise à Tequila Sheila la menteuse à pleines dents) et des fleurs de lys.

Mon peuple sans histoire, qui tente de s'en inventer une en omettant toute contribution de ses diverses racines, me désespère et m'enrage.

Car la politique postmoderne n'est qu'une fabrique d'anthrax, et qu'on se le dise.

Quand allons-nous nous réveiller et déserter les bureaux de scrutin offrant du pareil au même côté insipidité et incompétence ? N'avons-nous pas compris la leçon si significative des Rhinocéros à toaster ? La République de Walmart[149] ne saura nous protéger de la dictature du non-sens. La culture à rabais balaie tout sur son passage, sans omettre de remplir les caisses des partis politiques.

Qu'enfin se taisent les grands prêtres de la Pensée Unique.

Nous portons le poids de la dette accumulée par les richards se votant des hausses de salaire tout en se négociant des sièges dans les conseils d'administration des corporations qui égorgent le peuple sans sourciller. Nous acceptons d'éponger les débauches financières de ces dégénérés des trust funds non imposables, de ces membres de clubs privés allant se faire traiter dans les meilleurs hôpitaux du monde alors que la lie que nous sommes passe ses nuits aux urgences débordantes des antres de la compression nécessaire. Nous ployons sous le poids de cette cangue inhumaine, nous bossons à l'esclavage des heures durant à la chaîne de montage, œuvrant à parachever notre poulailler concentrationnaire.

L'esclavage de l'innocence. La planète Fleur-Bleue est bordée de hautes clôtures électrifiées, surmontées de barbelés, truffées de miradors

148. Grands fabricants d'hosties postmodernes.

149. Le mauvais goût, le « cheap » plein la bouche, à la conquête des attentes à la baisse et de l'acculturation à la masse.

aux cinquante mètres, gardes armés. Arbeit macht frei[150]. Et apprenez à vous taire lors de l'appel!

Nous méritons le pays que nous nous efforçons de négliger.

Et lorsque la pourriture aura assez fermenté, que les forêts (comme si les sacro-saintes compagnies forestières allaient en épargner de leur eschatologie coupe-à-blanc) auront été rongées par la tordeuse d'épinette et les pluies de L.S.D., que le lac des Castors débordera de canettes de bières vides, que la Place des Autres affichera complet pour la tournée d'adieu de la divine Céline Nickels, lorsque les ruines olympiques se vendront à la pièce dans les shops à escompte, alors à ce moment, et à ce moment seul, pourrons-nous afficher notre fierté de colonisés et de décérébrés, et marcher l'âme en paix vers l'abattoir de l'Antéchrist.

La tyrannie n'a pas été guillotinée, elle n'a appris qu'à mieux se dissimuler derrière l'avarice et la faiblesse humaine nommée confort, qu'on se le dise et qu'on le chante en sarclant les cous des despotes.

Tout tourne autour du néant, comme si le Saint-Laurent servait de côlon à l'Amérique du Nord (ce qu'il est, en réalité toute crue), comme si nous étions des polypes précancéreux, des vers intestinaux s'alimentant des fèces cholériques de l'organisme au bord de l'effondrement. Mais l'Amérique contre-attaque, les antibiotiques s'injectent par sous-culture interposée, que reste-t-il de nos amours en rigodon hormis les délires nostalgiques des SS-Saint-Jean-Baptiste et des Chevaliers de l'Indépendance? Même en s'orientant vers Natashquan pour prier Ti-Gilles et Jack Monoloy, rien n'empêche le bulldozer de nous aplatir comme des crêpes Aunt Gemima, tel le Coyote dans sa lutte désespérée contre le Roadrunner. Ne subsiste pour l'instant que la langue, minée et infestée comme jamais, speak white Newspeak je mange des hambourgeois et de la poutine chez Harvey's sur le bras de l'Office de la langue française de bois, les COFI débordent de bonne volonté mais nos diplômés en éducation persistent à croire que le Soleil orbite la Terre, confondant Copernic et Coppertone. Applaudir la tyrannie au centre Molson ou à l'oratoire Saint-Joseph, même défaite, amorale et insipide. Combien de marches à l'escalier de la honte? Stairway to Heaven ou échelle de Jacob?

150. À supposer que le travail rende vraiment libre...

L'autoflagellation a assez duré. Il faut prendre les armes, attaquer nos oppresseurs, ne serait-ce qu'avec nos couteaux à steak, leur percer la cuirette Roche-Bobois et éborgner leurs yeux aveugles de Justice et de Liberté.

Ne pas attendre que les pôles s'inversent avant d'agir. Ne pas attendre l'atterrissage d'extraterrestres éberlués avant de remettre en question notre asservissement. Nous sommes comme des éléphants de zoo liés à notre captivité par une ficelle, après des années de conditionnement carcéral.

J'aimerais connaître les codes de lancement des missiles soviéto-russes visant Ottawa et Québec (comme si les Boris s'intéressaient à ces bleds), Westmount, NDG et le Saguenay, question de régler le tango constitutionnel de façon convaincante et rapide, de clore le débat stérile et débile qui nous afflige depuis le réveil des baby-boomers à bobette. Vaincre la moisissure rongeant nos terres grâce à la purification mycologique de l'absinthe uranique. Comment sinon faire taire toutes les grandes gueules croyant nous intéresser avec une interprétation exégétique supplémentaire destinée à éclairer de façon totalement obscure la lecture des textes sacrés ? Ornithomancie des cervelles d'oiseaux, nécromancie des idées mort-nées. Sommes-nous si riches que nous puissions nous permettre, sans arrêt depuis des décennies, de nous enduire de lubrifiant oratoire et de nous laisser sodomiser le cerveau reptilien par les thaumaturges inaptes prétendant nous représenter ? Ou vivrons-nous au-dessus de nos moyens au sein de notre culture des dédoublements de compétence et des discours nationalistes creux jusqu'à ce que l'économie se dissipe au marché noir et que les soupes populaires détrônent McDo ?

Depuis trop longtemps, nous nous laissons berner par un débat se résumant à un champs carrelé de drapeaux, feuilles d'érable et fleurs de lys en nombre égal, où la grosse vache idiote nommée opinion publique (celle qui fait bander les sondeurs d'insipide), libère ses intestins (n'est-ce pas là la concoction ultime de *conditions gagnantes* ?) aux quatre ans, que la gravité terrestre (et non la gravité de notre asservissement) décide de notre sort, pour qu'ensuite l'on vive avec le gâchis, contraints de pelleter la marde encombrant toujours plus notre imaginaire collectif.

Pour en finir avec la politique.

Ainsi soit-il.

VERGELTUNGSWAFFE[151]

La putain précieuse nommée paix s'étale à nouveau
Elle sait pourtant disparaître lorsque les esprits s'échauffent
Les divisions fantômes arrivent en nuées de lâcheté
Occuper le terrain et libérer les charniers encore frais
Mais je suis et je fus avant toutes choses
Mon enveloppe charnelle ne laisse paraître ma pernicieuse difformité
La flétrissure s'abrite en mon repli cardiaque
Car ce fruit de cactus se tare d'irréel
Il pompe le sang souillé des Alhambra d'Inquisition[152]
Ne savoir que croire lorsque s'éteint la lune et tombent les étoiles
Je suis tuerie sanguinaire aux arcades de l'ultraviolence
Hanter les esprits fragiles jusqu'à la volte-face de l'opinion publique
Les champs de bataille désertés crient famine
Il faut baptiser d'hémorragies le millénaire encore vierge

Semer le shrapnell et miner l'onirisme
Vains gestes d'éclat sur la table de vivisection télévisée
Déterrer les cadavres en vue du Jugement dernier
Il n'y a pas de morale à cette Histoire
La finalité en fuite vers l'avenir éviscéré de sens
Essor des économies victorieuses
Reconstruire les espoirs des populaces inutiles
Être prêt à justifier l'anéantissement nécessaire
Les ruines pèsent sur l'âme des victimes
La purification ethnique court dans les deux directions
S'agissait seulement de miser avant coup sur les virtuoses des frappes
chirurgicales
La Mort désincarnée n'ayant pas d'odeur
Ready for the next round[153] ?

151. Vengeance salutaire.

152. « Le cynisme, la divination de l'histoire et de la matière, la terreur individuelle ou le crime d'État, ces conséquences démesurées vont alors naître, toutes armées, d'une équivoque conception du monde qui remet à la seule histoire le soin de produire les valeurs et la vérité. Si rien ne peut se concevoir clairement avant que la vérité, à la fin des temps, ait été mise au jour, toute action est arbitraire, la force finit par régner. » Albert Camus, *op. cit.*, p. 189.

153. Le sang coagule sur les mains de l'assassin.

Il reste moult médailles à remettre aux héros de la souris Cliquette
Qu'importe si la Justice demeure horriblement aveugle
Les intérêts de la minorité régnante l'emportent
Mise en scène du Théâtre de la Cruauté officielle
The show must go on and on and on[154]

Et demain, lorsque j'en aurai assez de ta face purulente de différence
J'invoquerai Jésus, Allah, Jéhovah ou Bouddha le Néant[155]
Pour te baïonnetter la carcasse de rage exterminatrice
Tu ne sauras résister à ma folie meurtrière
Ma haine prend racine dans des Droits d'universel
Auxquels tu ne sais appartenir
Résigne-toi à accepter ton sort ingrat
Tu es persona non grata dans mon arrière-cour, aussi lointaine soit-elle
Vermine porteuse des pires contagions
Sachant nuire à l'harmonie stagnante
Aucune dérogation n'est tolérée sous la gestion du Catégorique
N'as-tu encore compris
Toi seul as tort, puisque toi seul regimbes
L'annihilation est le lot de ton gratteux Loto-Québec[156]
Sauras-tu au moins disparaître sans laisser de trace

Plus d'autre issue que le grenadier Cyborg
La froideur Calculée comme idéal de vie
Ne pas broncher face à la sauvagerie et au meurtre
Obéir aux commandements des officiers paranoïaques
L'ennemi est à abattre et les sentiments n'ont place au soleil
Dominer sa peur par une discipline inflexible
Nous sommes parachutés parmi vos querelles intestines
Laissez-nous vous libérer de vos existences surnuméraires
Nous incarnons les remparts de l'Humanité

154. Les prophètes se taisent face à l'hécatombe.

155. N'importe qui/quoi, en fait, qui osera concrétiser l'exécution des Purs.

156. « La valeur d'usage qui était implicitement comprise dans la valeur d'échange doit être maintenant explicitement proclamée, dans la réalité inversée du spectacle, justement parce que sa réalité effective est rongée par l'économie marchande surdéveloppée ; et qu'une pseudo-justification devient nécessaire à la fausse vie. » Guy Debord, *op. cit.*, p. 28.

Trop faible pour chérir ses fruits et en jouir
Égorgeons sans vaine arrière-pensée
L'amour du prochain huile nos mécaniques homicides
Vous nous aurez créés dans vos aspirations hégémoniques
Nous consumerons tout sur notre passage systématique
Force d'intervention apatride du règne corporatiste
Normes inflexibles du Nouvel Ordre Mondial

Il ne reste guère de consensus face à l'étendue du brasier
Les significations contradictoires abondent
L'arc-en-ciel de la DCA[157] silencieuse vient professer le nouveau pacte
Les abris débordent de l'allégresse des profondeurs
Nous sommes une grande famille amorale
Les sirènes assourdissent toutes les voix dissonantes
Miss Univers[158] orne les ailes des bombardiers généreux
Aucune loi ne couvre les Puissants
Éclatement des réalités
Incompréhension des ovins menés à l'abattoir
Mieux vaut un héros mort qu'un rebelle encore actif
Bravo pour le divertissement live at six
Les étincelles font bonne presse
Incommunicabilité du néant existentiel
Comment ne pas être heureux en ces années d'apocalypse
Attendons la délivrance comme de gentils chrétiens dans l'arène romaine
Pendant que les Néron se gargarisent de stupre somptueux

157. Démocratie Canadienne Anencéphale.
158. Y a-t-il vraiment lieu de craindre ces putes (in)volontaires?

◈

La douleur vive, le coup de poignard qui saisit soudainement l'âme (l'esprit pour les athées rationalistes mangeurs d'ortie au plutonium), un frisson qui déchire le voile du Temple, non pas pour signifier la délivrance du joug de l'ancien régime, la désuétude des lois caduques, mais pour arracher toutes les balises qui ont réussi à contenir le périmètre séparant le sensé du senti. Séparant le chaos du sensible[159]. Comme si tout tombait dans un néant aspirant les divers éléments qui constituent la sécure réalité. Le tapis qui est tiré sous les pieds des témoins innocents, et le déséquilibre subséquent abattant les murs du sens. La vie y perd au change. Le tourbillon s'empare des feuilles maintenant éparses, déliées de la glu fondamentale. Et je ne sais plus comment remettre de l'ordre dans ce magma incompréhensible. La clé de l'énigme s'est perdue quelque part dans le parc des Laurentides, dans le sang versé vainement de ma Naïra adorée. Les gestes s'animant comme des fantômes de marionnettes, les mots blanchis à l'eau de Javel jusqu'à en signifier l'angoisse et le spleen. Maladie incurable, je le crains.
Perte d'identité et de paternité
Perte de temps et d'espace
Meurtre irrésolu[160]
Je regarde mes mains cherchant à s'agripper à n'importe quoi
L'infini semble si vide malgré tout le bleu du ciel
Tout perdre à jamais un vendredi comme tant d'autres
Si facile de détruire
Comment cicatriser les blessures profondes ?
Tous les luths du monde ne sauraient enjoliver le gâchis
Tremblements et frissons
L'angoisse gifle d'autant plus sèchement

159. « Quoi que quittant ce monde, il eust quitté la part que sa naissance lui donnoit à des charges honorables, toutefois je puis dire avec vérité, que la robe qu'il a empourprée de son sang, est mille fois plus précieuse que la pourpre, et les plus hautes espérances, que le monde lui eust pû promettre. » Guy Laflèche, *op. cit.*, p. 65.

160. « Il a entendu. Comme s'il se surprenait lui-même au pied du lit. C'est une visite. Mentale, elle oscille dans sa retraite osseuse. Il la pense afin qu'elle s'éloigne. » Bruno Gay-Lussac, *op. cit.*, 1979, p. 87.

Les livres saints vides d'explications
À moins d'apprécier le plum-pudding
Réverbères effaçant les ombres
Se noyer dans la lise vomitive
Jouer sa vie au Ladakh après avoir croisé l'éternel du désert arizonien
Personne ne m'a jamais connu, je suis un spectre
Personne ne m'a jamais vraiment rencontré
L'oraison funèbre n'en sera que plus brève
Oh Patof, oh Patof Patof blues, oh Patof blues !
Les moulins à vent constituent de prestigieux adversaires
Aussi bien s'armer de patience pour faire la queue des illuminés
Les temps de la fin verront tant de faux prophètes

AN GOTTES THRON II[161]

L'Allemagne déjà en vague souvenir
Que des restes ossifiés de bonheur évanoui
Rouler sa bosse en A4[162] et défier toute finalité
Jusqu'où retraiter pour consolider les maigres gains
La mémoire sait oublier même l'Amour d'une vie
S'attarder aux détails en obsession immature
Sentir la fin des temps au dessèchement des muqueuses
Hymne à L'Idéal évanescent
Mes mains vides de ses replis généreux

S'aimer le temps d'une chanson
Asile estival et tortures comprises
Chercher le visage adoré dans la zone d'ombre grandissante
Ne plus savoir espérer
Que reste-t-il de la délivrance
Que reste-t-il des rêves déchus
L'amertume submerge un présent qui s'effrite
Sieg Heil au printemps libéré de l'automne

Magie de l'exil
Voir la réalité dans les yeux des étranges
Barbares blonds de flegme collectif
J'en ai rêvé de ce royaume des glaces
Mon cœur incandescent fut sa dernière victime
Elle est partie dans sa morne indifférence
Je n'appartiens plus à la terre de mes ancêtres
Rejet d'héritage
Le panier de pommes[163] atteint de sclérose terminale

161. Rematérialisation tronquée (bis).

162. Format de feuille européen, des plus esthétiques et civilisés.

163. « D'une manière générale, vous serez bringuebalé entre l'amertume et l'angoisse. Dans les deux cas, l'alcool vous aidera. L'essentiel est d'obtenir ces quelques moments de rémission qui permettront la réalisation de votre œuvre. Ils seront brefs ; efforcez-vous de les saisir. » Michel Houellebecq, *op. cit.*, 1997, p. 21.

Patrie se mourant de nationalisme stérile
Vaut mieux financer les briques que la chair transcendante
Ériger des mausolées à l'éphémère tout en sondages

Je baisse les bras, faute d'arme salvatrice
La fosse commune se prélasse sur les deux rives du Styx
Voie maritime des faux-fuyants
Construire un pont supplémentaire pour enjamber la voie de sortie
Exil des cerveaux et exode des purs
Ne restera bientôt que les dégénérés vidéotronisés
Je rêve de fuir à jamais ce cloaque putride
Sois heureuse, ma belle Amour, tu mérites ton trône
Élève tes marmots dans la lie te retenant
J'aurai frôlé avec toi le naufrage identitaire
Je suis libre, libre
Librement malheureux
Tu as fait éclater mes bubons d'attentes vaines
Ta froideur reptilienne m'aura infiltré de rigor mortis

Je cherche mes amours dans le charnier de l'anonyme
J'enterre mon passé dans les plaies de mes bourreaux
Jusqu'à la destruction de mon affect
Je suis mené à la potence
Mes yeux fermés de n'avoir trop vu
Les corbeaux croassent
Je n'ai pas de visa pour la Géhenne[164]

Et les fantômes d'errer dans les rues
L'inondation du futile envahit les hypogées
Les cloches grotesques annoncent l'envahisseur
Il vous bombardera hors du réel
Je t'accompagnerai sous la pluie mercantile
Ne me demande pas de pleurer
Car j'ai déjà la gorge tranchée

164. Bien malgré les joyeux et accueillants conseillers du consulat deutsch de Poutinestadt.

Les hordes innommées infestent les rues désertes
Le soleil est noir de cristal
Comment construire un avenir resplendissant
Sur les tombes de nos souvenirs empoisonnés

Et j'enrage de n'avoir su comprendre
La clé des songes d'un rescapé de l'Histoire
Placarder les murs de peau humaine
Lire l'avenir au fond d'une tasse de thé

Une prison sombre
Dans laquelle je terre mes désirs
Implacable volonté
Nos deux corps disjoints
M'aimeras-tu en cette contrée trop humide ?
Tu hantes encore mes interstices

L'avenir est au départ[165]
Vers l'inconnu des lendemains à créer
Et je crains que se réveille l'horreur
L'Amour s'évanouissant comme mirage
J'entends les vautours se rassembler
Les adieux sont sans merci

Ai-je perdu mon âme, en ce lointain purgatoire ?
À l'horizon des regrets, comme au fil des mots
Te verrai-je un jour resplendissante de bonheur
Immaculée comme fleur de printemps
Je t'espère en mon aujourd'hui d'absence

Où fuir l'écartèlement de l'ego sinon en l'Europe robotisée
Illusion sociale des classes impénétrables

165. « Pour cela, il vous faudra vous secouer, vous éveiller, prendre conscience. Il vous faudra ne plus envisager l'art comme une distraction, mais comme un sacerdoce. Il faudra vous convaincre que l'artiste trouve d'abord et cherche après. Si vous arrivez à ce stade, si vous secouez *le joug d'être trop libre*, vous deviendrez extérieurs à l'ennui et vous vous moquerez de son triste visage. » Jean Cocteau, *op. cit.*, 1949, p. 57-58.

Arbeit macht frei[166], pourvu qu'on garde le rang
Je cherche à construire mon nid hors de la mêlée bâtarde
Mais les cadavres des oblats s'accumulent en ces terres de richesse
L'équitable n'est disponible qu'en forfait d'outre-tombe
Je vous déteste tous au fond de mon bunker Voßstraße[167]
L'offensive rouge éparpilla mes reliques en vos intolérances inavouées
Allez vous faire voir à la Ronde en grève de la faim
Écartez-vous, les bulldozers arrivent
Que le nivellement commence
Aliénation innée des huit ans d'âge mental
Ronald McDonald à la conquête de l'univers
Communier en attaques de Big Mac[168]
Que le cancer nous croque de ses dents de cyanure
Ultime inanité des fantômes en codes-barres

166. En marche, fans de la Star mégalithique!

167. Et finir sa vie sous les palmiers sud-américains.

168. « J'ai remarqué que quand je mange de la viande et avale sans mâcher, mes matières sortent avec difficulté. Je suis obligé de faire de tels efforts, que les veines de mon cou et de mon visage éclatent presque. J'ai remarqué que tout mon sang afflue vers ma tête. J'ai compris qu'un tel effort peut vous conduire à l'apoplexie. » Vaslav Nijinski, *op. cit.*, p. 241.

ÉPILOGUE

Rügentraüme

I

Chair si faible
Putrescence instantanée
L'espoir du crépuscule
Immaculée préconception
Sodomie inévitable des orifices anonymes
Musique des sphères
La poésie se meurt en gourme gerbée
Rêver l'utopique
Attraction des opposés
Des mots éteints en guise d'adieu
Foncer tête basse
Passion écarlate pour une immature en deuil non avoué
Ma solitude s'éternise
Memories fading away[169]
Comme des larmes sous la pluie
Photographier l'effroi d'un instant éternisé
There is no more spoon[170]
J'ai perdu mon âme
Ne plus comprendre la signification d'à jamais
Un magicien dépossédé de ses charmes
Tant de lapins pourrissant sous son chapeau
Ne plus croire en l'amour[171]
Ne plus croire en l'avenir[172]
L'acier du présent emprisonne sans pitié
Comme les cheveux blancs ornant ma croupe
Et les rides creusant mes traits
Gagner un nom par perte d'identité
Rouler sa bosse à l'ombre du légitime
No escape possible[173]
Seuls les miracles se cherchent encore des victimes

169. Un rouleau compresseur sait faire taire les récriminations.
170. Plus rien de vrai.
171. Un sentiment vain d'activisme terroriste.
172. Une maladie mentale d'origine extraterrestre.
173. Planter des choux pour passer le temps.

Passer le temps comme un hallucinogène
Joug des aurores boréales
Rentrer au bercail dévasté par les bombes
Le napalm amoureux reste hautement corrosif
Aidez-moi à tirer plus vite que mon ombre
I'm a poor lonesome cowboy, just don't have a home anymore[174]
Je hurle à la Lune sous des coupoles de béton
Les étoiles s'éteignent une à une
Temps de prendre son trou
Unicité annihilatrice
Rien n'est neutre dans l'entre-monde
Il faut savoir accepter la défaite
Il faut tolérer l'intolérable
Finir par aller de l'avant dans le champs de mines
Je tituberai loin de toi, mon amour dépecé[175]

174. Ai même dû manger Jolly Jumper en banlieue de Stalingrad.

175. « Je connais cela ; j'ai ressenti la même chose il y a deux ans, juste après ma séparation d'avec Véronique. Vous avez l'impression que vous pouvez vous rouler par terre, vous taillader les veines à coups de rasoir ou vous masturber dans le métro, personne n'y prêtera attention ; personne ne fera un geste. Comme si vous étiez protégé du monde par une pellicule transparente, inviolable, parfaite. D'ailleurs, Tisserand me l'a dit l'autre jour (il avait bu) : "J'ai l'impression d'être une cuisse de poulet sous cellophane dans un rayon de supermarché." Il a encore dit : "J'ai l'impression d'être une grenouille dans un bocal ; d'ailleurs je ressemble à une grenouille, n'est-ce pas ?" » Michel Houellebecq, *op. cit.*, 1999, p. 99.

II

Le sel de la terre
Moloch en pyjama
Au sommet des Alpes blondes
Il n'y a que les sourds qui ne restent indifférents
Qu'est-ce qui fait courir les foules
Sinon la rumeur des exécutions
Wann können wir rein[176]
Le gaz à odeur d'amande grillée
Technopop du vidéodrôme sans paroles
Amen à la pureté de la lame
Cristal de roche en l'apocalypse préfabriquée
Les corps s'entrechoquent en un miasme rauque
Échange de liquides organiques
Vies d'artifices et d'utopies cataloguées
J'achète donc je suis
Je capitule donc je fus
Dorure de la cage à en perdre la raison
There is definitely no spoon[177]
Je pense donc je fuis
J'oublie donc je vis

Les sourires mortuaires de mise à l'encan de la chair
Cadrer la scène de barbelés de satin
Ton étreinte printanière me fut d'airain
Un pas après l'autre
Creuser l'abîme nous divorçant
Je pends à la corde strangulant ton paternel
Suspendu au plafond de notre chambre nuptiale
Tu avortas mon cœur abject de dévotion
Pas de miracles aux temps de la fin[178]

176. Pourrais-je avoir un verre de porto ?

177. La réalité comme du gâteau éponge.

178. « En tant qu'indispensable parure des objets produits maintenant, en tant qu'exposé général de la rationalité du système, et en tant que secteur économique avancé qui façonne directement une multitude croissante d'images-objets, le spectacle est la *principale production* de la société actuelle. » Guy Debord, *op. cit.*, p. 8.

La brûlure sans merci des souvenirs corrodés
Dérapage contrôlé vers l'écrasement final
J'inspirerai la libération en vapeurs de cyanure

Ta beauté se perdra en orgasmes bestiaux
Tes tremblements se tairont
Tes muqueuses sèches se déchirant
Mon Amour, mon Passé, mes espoirs échoués
Je mâche encore le cancer rongeant ton âme évidée
Sombre le navire et vogue la mort glacée
L'Atlantique en mythe à surgeler
Duel à finir entre le fond et la forme
Mon cauchemar tire à sa fin
La nervosité assaille mes poignets à saigner
Construire un nouveau Walhalla
De ses décombres encore fumants

Odeur de K-Mart klaxonné
Tapisser de white noise les hurlements d'effroi
Hairheads d'artificiels déhanchements
Sauver l'essentiel de la défaite finale
Hystérie collective des trisomiques virtuels
Que commence le carnage
Anthropophagie des bonnes tables
Se réinventer en trois dimensions
The Me generation at its best[179]
Sieg Heil à la décomposition des mœurs
Us et coutumes des mécaniques quantiques

179. « Le sinistre *success story* des *baby boomers* aura montré que ce sont toujours les moins adaptables qui sont les plus flexibles ! Monopoliste d'hier jusqu'à demain, la génération des années quarante/cinquante continue malgré tout d'imposer son discours catégorisant et culpabilisant à la nouvelle génération dite apolitique des plus jeunes. Les grisonnants gestionnaires ont tous les alibis pour fermer la porte derrière eux et empocher chichement le pouvoir. Plutôt que d'approfondir la réforme, on démantèle l'État-providence — dont on s'est servi pour monter au pouvoir — et on "rationalise" les services dont on a pourtant bénéficié pour en arriver là. Au nom du néo-modernisme et des futures retrouvailles nationales, on opprime les plus démunis et on déculture massivement, tout en niant fort prudemment l'existence des antagonismes de classes quelles qu'elles soient. Nous n'en sommes pas à un paradoxe près ! » Jacques Cossette-Trudel, *op. cit.*, p. 45. Et quoi de plus paradoxal que le récent (hiver 2000) salon des boomers au Palais des congrès de Montréal...

III

Joyeuse journée d'hécatombe
Là où les tribulations fleurissent en bouquets multicolores
Assourdissement ouvrier
Laver nos péchés aux chevelures d'ébène
Je t'aime encore à la Nouvelle Lune
Écoute mes râlements rauques invoquer tes restes
Décomposition des mirages sous l'ardeur socialiste
Transfigurer la matière brute
Allégement fiscal des héritiers de la Haine
Fuir à vive allure en des paradis d'artifices
Jupiter d'or intramental
Beauté même des illusions d'optique
Ma vie trop floue échoue à te joindre
Qui suis-je sinon la malaria symphoniste
Délivre-moi de mes délires cartésiens
Écartelés entre tes cuisses ouvertes au changement de la garde

Des résidus visuels encombrent ma mémoire
Les cathédrales s'effondrent sous le poids des prières vaines
Évider l'éther de l'esclavage monosyllabique
Arriver jusqu'à toi
Aux rives de Tannhäuser[180]
Être enterré vivant en un cercueil de plomb
Les secondes d'inutile prenant un sens inédit
Ma bête sauvage devenue frigide de mépris
Tu n'existes qu'en photos papier mat
Clichés de perdition à l'orée de la fosse
Commune communauté des décérébrés infantiles
Le bonheur nivelle la dissonance astrale
Tout esprit meurt faute d'âme à écorcher

Partir à la plage comme si de rien n'était
Faire durer le simulacre d'un hymen mort-né
Il n'y a plus de cœur entre nos corps froids

180. Comme des larmes sous la pluie.

Plonger en famille comme à l'abattoir des promesses
Rien que la Baltique ne saurait éventer
Air salin pour incendier les plaies vives
S'enfermer en des schèmes hypocrites de pérennité
Sauvegarder les apparences au profit des incultes

Tu sais tirer sur les pieds du pendu
Tu prétends l'aimer alors que sa mort te libère
Vivre le mensonge de la piété filiale te sied fort mal
Ruminer ses couples en éternelle catharsis
Il te faut niveler l'affect sous le rutilement des tâches
Multiplier les gestes en koans de nihilisme
La conscience mène au suicide
Comment survivras-tu à son appel de sirène
Ta vie n'est qu'une urne en devenir

IV

Aller au bout du monde perdre son cœur
Pour le rechercher dans le fond de sa propre arrière-cour
Exotisme de pacotille[181]
Tombée du ciel sur la tête des païens cruels
Il n'y aura pas de Jugement dernier
Dignité des spectres sans existence propre
Nager à contre-courant dans des eaux tumultueuses
Bienheureux les fous furieux[182]
Pas de délivrance à la douleur vive
Le spleen incurable des anxieux et des pleutres
Se vautrer devant sa cage à l'orée des cimetières spirituels
Je n'attends plus que les pauses publicitaires
Toutes les chaînes aliènent avec autant de force
Séance de zapette en électrochocs surprescrits
Seuls les braves ignorent la souffrance
Lobotomisés malgré eux sous les orages de conformité
Impureté des trop justes
Fonctionnalité des milichiens[183]
Savoir taire ses objections lorsque frappe le fouet
There's no way to escape the Bogey-man[184]
Massacres-surprises de bouchers innocents
Victimes silencieuses et ondée catatonique
Grognements sourds des primates glabres
Attendre la floraison en justification divine
Rien à espérer hormis la chute originelle

181. Avancer en arrière.

182. « Je ne délire pas. Je ne suis pas fou. Je vous dis qu'on a réinventé les microbes afin d'imposer une nouvelle idée de dieu. On a trouvé un nouveau moyen de faire ressortir dieu et de le prendre sur le fait de sa nocivité microbienne. C'est de le clouer au cœur, là où les hommes l'aiment le mieux, sous la forme de la sexualité maladive, dans cette sinistre apparence de cruauté morbide qu'il revêt aux heures où il lui plaît de tétaniser et d'affoler comme présentement l'humanité. » Antonin Artaud, *op. cit.*, 1975, p. 103.

183. « Avec le lavage de cerveau nous acquérons l'immortalité : car nul n'est plus proche de l'immortalité que celui qui a vaincu toute peur en lui, la peur de la mort incluse. » Matei Visniec, « Le laveur de cerveau (I) », *op. cit.*, p. 73.

184. N'oubliez pas de payer vos factures dès leur réception.

V

Charlatanisme
Voyance aveugle des futurs embouteillés
Que reste-t-il des sans-espoirs
Coups de reins et âmes rebelles
Il n'y a que des drônes pour ensorceler le sort
Lorsque les portes se ferment le silence règne
Douce allégorie des jours d'automne
Désespérance noire des merveilles endeuillées
T'aimai-je seulement jamais
Toi que je nommai éternité
Toi sur qui je bâtis tant de faux demains
Arènes ensanglantées d'oblats métaphysiques
L'amour s'évide chaque seconde un peu plus
Appel puissant du désert implacable
Champs morainiques en pâture aux glaciers
Trop de bruits pour entendre mes propres pleurs
Tout se perd, plus rien ne se crée
Agnosticisme précaire des automates civilisés
Attendre en vain la délivrance à crinière
Unsheltering sky[185]
Trop de chrétiens à l'abattoir impérial
L'aigle survole le no man's land
Tremper ses lèvres au Saint-Graal
Le sang de la Nouvelle Alliance
Bilan des pertes par pur masochisme
Arrondir l'énormité à la quatrième décimale
Succédané d'allégresse
Les oranges vertes restent acidulées
Être ou ne pas être amusé par la bêtise humaine
Vive la révolution des clients ennuagés
TV drama live at six[186]

185. Couette ayant vu moult copulations.
186. Fait divers allant trouver sa niche au *Montréal ce soir.*

Marcher en raquettes au travers des dunes
Mouton noir terreur blanche
Aller au ciel sans passer Go ni réclamer 200
La vie en mare de la Tranquillité putride
J'éclate au profit du morbide ennui
Les freak shows placardés sur la Catherine
Néons d'éphémère
Pourchasser l'artifice jusqu'en ses ultimes retranchements
Personne n'aura pitié des fous du Roy
Inutiles précautions de désamorçage
Visiter l'asile une fois de trop
The French Fries King is on the prowl[187]

187. Le Prince de Westmount a la dent longue.

VI

Alléluia, peuple de la lie !
Les prophètes ont chanté ton aurore mortuaire
Orée des grands bois et soupe aux ossements
Simplicité des mœurs en Hespérie de mise
Guindez-vous chaudement car la saison est longue
Nuit d'argile en condoms éclatés
Fantômes écarlates gavés aux Cherios[188]
Comme la route est belle, belle à Berthier
Madeleine tirant la plume à quelques sauvages
Madame Paquette, vous m'faites tripper
Sur la Sunset Beach[189] bleachée de bacilles
L'anthrax se mange en saveurs délicates
Bravo pour l'effort mais vous êtes recalés
Transit vers demain en Dodge Caravan
La route du Parc s'enneige de sentiments troubles
Qui assistera à mon enterrement
Articulant l'oubli des blondeurs surréelles
Le technopop pointu enfoncé entre les côtes
Percer le placenta de la Terre-Mère abasourdie
Aller au bout des patterns d'obsession féminine
Réaliser des installations aussi futiles qu'utiles
Prendre le pouls des analyses spectrales
Ligue mineure de l'espace aérien
Intéresser les lendemains trop éteints d'insatisfait
Accrocher la Lune au décor carton-pâte
Chambre à gaz parfumée au smoked meat
Abstraction faite des délires surhumains

188. « Les gens ne s'intéressent pas aux objets. Ils pensent qu'ils ont une fonction, qu'ils sont utiles. Ils leur rattachent des souvenirs et reconnaissent donc que les choses ont une certaine valeur. Mais ils se disent que leurs souvenirs ne sont pas leur propre personne. Leur personne est une essence. Tout simplement, elle est. » Bruno Gay-Lussac, *op. cit.*, 1986, p. 76.

189. Pointe Taillon sans maillots de bain.

VII

Marquer l'hypothalamus des vaches folles
Paraîtrait-il que les gènes sont en cause
Sacoche en désordre et vie dépareillée
Le foie est attaqué
Panique translucide
Décollement des muqueuses humides de désir
Intérêt des transsexuels pour la cause idéale
Vieillir au loin, physique ingrat
Dorian Grey ou Orlando[190]
Pérennité des modifications extérieures
La gravité semble ingrate
Collagène au travail de la multitude muette
Apporter du significatif mais avec parcimonie
Vie fictive
Invitation à la thérapie collective
Fausse modestie des menteurs professionnels
Premier tournage en réalisation de fantasmes
Pousser la note à en perdre l'équilibre
Agencer le réel en images éclectiques
Se saouler de délires
Langage binaire des conversations téléphoniques
Inspirer l'effroi[191]
Expirer le vide
Se soumettre volontairement à la Question[192]
Ésotérisme de pacotille

190. On ne peut tous avoir la binette de Mado Lamothe.

191. « J'ai des yeux, mais je sais que si on me crevait les yeux, je saurais vivre sans yeux. Je connais un général français qui se promène chaque jour avec sa femme et qui ressent la vie. Il croit qu'il est malheureux, c'est pourquoi il sourit à tous ceux qu'il rencontre. Je l'ai remarqué, car il marchait bizarrement en portant haut la tête. J'ai compris qu'il était malheureux et j'ai eu pitié de lui. Je l'aimais et j'éprouvais le besoin de le persuader que je n'avais pas peur d'être aveugle, mais j'ai compris qu'il ne me comprendrait pas, c'est pourquoi j'ai laissé ça pour plus tard. » Vaslav Nijinski, *op. cit.*, p. 280.

192. Cocher oui cocher non.

VIII

Le passé n'est qu'une maladie subtile
Floraison radioactive des tumeurs déphasées
Chercher l'archétype des barbares immondes
Les Anciens guettent tapis dans les frissons
Pousser l'absurde en demandes en mariage
Le ciel se couvre
Éclatement des couleurs à l'écran panoramique
Lire la douleur dans les tasses de thé
Perdre toute saveur des lendemains amoureux
Ma couche trop vide de compagnie
Accueillir l'hiver en nécrose calcifiée
Solitude urbaine des belles négligées
Arbeit macht nicht frei, sondern dumm[193]
Rejoindre le Royaume en éternelle disgression
Apprendre à aimer l'ennui des bleachées superficielles
Échantillon d'urine souillant l'uniforme
Accouchements de mort-nés en des lunes de diamant
J'invoque les dieux présidant au banquet
Qu'ils officient mes obsèques prochaines
Aérer la rousseur de l'Abject fugace
Crucifier la noirceur de mes obsessions féminines
I am of the sky[194]
Réciter des laïus en guise de garde-fou
Inspirer la pisse des clochards évadés
Hantant les cafés pour réchauffer leur carcasse surnuméraire
Point d'issues à l'American Dream
Planifier les rapts d'amazones plastifiées
Colonia Dignidad du fascisme diluable
Phrases préfabriquées des clowns bleus sans public
Tempête de confettis pour les salles jubilantes
C'est le plus beau spectacle de maaaaa vie
Alors que les acariens rongent mes chairs friables

193. Complaisance blindée ne rend pas toujours le bonheur accessible.
194. Être perdu entre les sixième et septième ciels.

Le temps s'écoule au rythme des soleils d'agonie
Privation incestueuse de siamois en conserve
Yogourt au Paris-Pâté en rabais de fin des âges
Nourrir les mensonges de spleen existentiel
Je suis l'instrument du Seigneur, qu'on se le dise
Faire fuir les clients trop avides d'essentiel
Naviguer en eaux troubles à la recherche de l'âme sœur
Planète rebelle des codes morses oubliés
Coup de grâce derrière la nuque
S'endormir au volant d'un luxueux corbillard
Je rêve à toi, chérie, alors que le crépuscule triomphe
Cacher les stigmates déformant tes traits étirés
Le fiel ravive la souvenance
Un peu de caféine pour affronter l'angoisse
Circulantes sirènes sur Saint-Laurent embouteillé
Mettre bas au week-end en smog d'assourdissement
Les stars indécrottables défilent au pas de l'oie
Raffinement eurotrash des lorgneux de syndic
J'hypothèque mon avenir en explorations désœuvrées
Je suis Pierre à l'aube de l'enrôlement
Prêt à sacrifier tout sens à la quête innommable
Incendier le jardin d'Éden
Mes symboles d'antan tombent comme feuilles rouges d'automne
Mon regard vide de demains rieurs
Étirer la sauce avant qu'elle ne croûte la poêle
Let it come down as the pages are turned[195]
Imprégner le moment présent de spectres nubiles
Apocalypso en idéal à imiter
Paupières lourdes de regrets
La délivrance nécessite de nombreuses amputations
The yellow brick road is paved with indifference[196]
Empester les regards avides de concordance
Intersection des chimères d'allégresse
Regard métallique de la poupée multiforme

195. Laissez marcher vos doigts.
196. Attendre la tornade avant de s'envoler pour le pays d'Oz.

Avaler toute la gourme en signe de soumission
Reddition sans condition en préalable ouvrier
Sottise du sublime fait chair
Invading restlessness[197]
Mèches colorées des tignasses technopop
Construire l'imprévu par saccades du bassin
Donner souffle à la vie en des entrailles triturées
Infarctus civilisateur des tautologies mercantiles
À quand le nirvana synthétique pour budgets limités
L'éveil n'est qu'un mythe à carte platine
L'éveil n'est qu'un leurre de néon éteint
Cinquième dimension[198] du Walhalla bulldozé
Faire place au terrain vague des imaginaires formatés
Festival permanent des tares et de la dégénérescence
Adopter la psychose zen en lénitif bienséant
Confessionnal des cartes à puce
Câblage de fibres optiques en garrot gangreneux
Arabesques aériennes des « je t'aime » tus à jamais
Installation permanente de l'ère glaciaire nouvelle
Chrysalide du surplace
Improbabilité d'une métamorphose du crapaud en un prince
Le brouillard est à couper au couteau
L'Allemagne renaît de ses cendres
Le suspense reste entier alors que le spectacle tire à sa fin

197. Révélation divine.

198. « Et c'est un mariage de Vérité et un repos d'incorruptibilité dans l'Esprit de Vérité en chaque intellect, et une illumination qui s'accomplit dans un mystère ineffable. » *Le deuxième traité du grand Seth, op. cit.*, p. 67.

IX

Paradis nazi de l'enluminure polychrome
Attendre en ligne sa place à la droite du p'tit père des peuples
Sélection des justes et effroi des exclus
Tout tourne en rond aux jours de quadrature du cercle
Péter la balloune des illusions passées
Bon matin pour faire face au peloton d'exécution
10-4 bonhomme, because news travel fast[199]
Accroître la productivité saoule l'intelligence
Mettre la main à la pâte et disparaître dans la tourmente
Personne pour fourrer des bâtons dans mes roues
J'accueille le réveil en torture surannée
Bienvenue à la ronde des planètes
Les rouages s'embriquent à l'abri des regards indiscrets
Combats se gagnant au prix d'une livre de chair
Ériger des dogmes pour délimiter le néant
Sombrer dans le Chaos primordial
Il faut teutonner la ballade des temps heureux
Il faut diluer les acides gastriques
Estomac débordant s'autodigérant par pur mépris
Rien qu'une touche féminine ne saurait parachever
Déchirement des hymens trop empreints d'éphémère
Tuerie octogonale des tempêtes de neige
Parcourir les rubriques mortuaires à la recherche de feu l'âme tant aimée
Jeunesse des espoirs et tango de l'obscène
Nuitée incertaine d'un Götterdämmerung[200]
Les épaules décharnées d'un Atlas vieillissant
Accomplir son destin en critères objectifs
Évaluer les pertes postcatastrophiques
Mouvements du cœur ne laissant rien sur ses pattes
Déranger les joyeux naufragés de l'isolement préventif
Filmer l'incontinence des babouins politiques

199. L'inutile croît avec l'usage.
200. Assaut de Berlin.

Je me rends à la limite de mes ressources maigrelettes
Blonde beauté de la magicienne
Couper les patterns d'incendie émotif
Je vogue à la dérive de sa voix mélodieuse
Faire fi des écueils pimentant le périple
Accepter la finitude des absolus désagrégés
Bâiller l'ennui des minutes d'attente
Averse esthétique des constats d'échec
Symbole cryogénique de la dictature rosée
Never seen you before in this palace of darkness[201]
Are you free to take a drive down memory lane[202]
Are you willing to take a dive in a pool full of worms[203]
Je perds mon latin entre Prévost et Saint-Mathias
Je dance dans les catacombes d'une Europe pestiférée
Non-lieux de l'Histoire inachevée
Avenir en friche d'amnésie sanguinolente
Faire la pluie et le beau temps alors que tombent les bombes H
Imperium de la discontinuité apparente
Alors qu'au fond des abîmes génétiques
L'Humain reste Humain en ses passions dévorantes
Top of the line already on sale everywhere[204]
Rats d'égout au kilo
Mescaline à gogo
Abattre les forêts pour le kick civilisateur
Danser au Super-Sexe et défier l'inertie
L'appétit vient en mangeant
Je pousse la note pour perdre finalement mon âme
Quêter sur les trottoirs délavés d'inouïe
Consommation médiatique des lobotomisés
Fumer son cancer en promesse d'agonie
Manger ses émotions et vomir le trop-plein
Are you happy now[205] ?

201. Ton visage devrait me dire quelque chose.
202. Es-tu prête à forniquer sur un balcon de la rue Molson ?
203. Es-tu prête à renier ta parole vermifugée ?
204. Bourses d'excellence pour une culture fragmentaire.
205. À quand l'oubli ?

X

Je suis la mort innommée
J'erre dans les rues à l'orée des désirs
Vivotement de l'espoir à sauver de l'exécution
Favoriser l'ennui à la recherche d'une finitude
Ne reste rien à construire sinon le cataclysme final
Rien à aimer sinon le gouffre
Replacer les œillères en abstraction pure
Passer le temps à dénaturer la friture
Oui, vivement les obsèques de la Thermonucléaire

Je suis la mort sans visage
Celle qui hante les délires des jours heureux
Celle qui pleure la rupture en lames de rasoir
Celle qui pend dans la chambre à coucher
Je suis la répression des souvenirs pénibles
La projection des angoisses
Qui éclatent en crises de larmes des jours durant
Peur de la séparation maternelle
Peur de l'engagement et des émotions fortes
Je suis les projets tournant à vide
Enseigner des langues mortes
Vestige de mon passé trouble
Vestige d'une haine trop difficile à admettre

Je suis la mort fleur de lys
La contrée des ambitions flouées
Des grèves mitraillées pour le p'tit confort personnel
Fuck le prochain, il ne sait exister
J'invente le réel en images trafiquées
Je lamente les hiers béats d'insignifiance
Ne sais voir quelqu'avenir faute de spiritualité évanescente
Nor do I fucking care[206]

206. Disproportion réglementée selon le code du Bushido.

No problemo, dit-il à ses créanciers
Faillite de l'esprit des colons colonisés
L'Hespérie en ruine tel que prophétisé
Dérèglement des temps et lignes de piquetage rotatives
Dégoût, Haine et Névrose en troïka fédérée

Je suis la mort de L'Amour
L'isolement encarcanné en cellules opaques
En plein cœur de la Cité évidée d'âmes
Les artères pulsantes de bouchons dernier cri
Concessionnaires immobiles des modèles de l'année
Il faut creuser l'écart entre les générations castées
Tyrannie de la richarde banlieue
Exploitation des mégots du rejet
Le désespoir en performance techno

Je suis l'oubli espéré
La délivrance ultime
Fond de bouteille ou cap d'acide
Halluciner le quotidien pour asphalter la douleur
Nouveauté de la quête tournant en rond
Addictive void[207]
Transmutation ubiquiste des automates caféinés
Mirage effroyable
Tenir à la vie malgré tout
Quelle préoccupation vaine
Rügen, Rügen, Rügentraüme[208]

207. Attrait du néant en petit format.

208. Échouement des élans illusoires du cœur sur l'île de Rügen ; ou, comme le dirait Nijinski :

« Je suis une bite, mais pas à toi.
Tu es moi, mais je ne suis pas à toi.
La bite est à moi, car Bite.
Je suis une Bite, je suis une Bite.
Je suis Dieu dans ma bite.
Je suis Dieu dans ma bite. Ta bite n'est pas à moi, pas à moi.
Je suis bite dans Sa bite.
Je bite, je bite, je bite
Tu es bite, mais pas Bite. »
Vaslav Nijinski, *op. cit.*, p. 299-300.

XI

Ensemble, se délivrer du joug de l'oppression polychrome[209],[210]

209. « Ainsi, à présent encore vous ne comprenez pas, vous êtes ignorants ? Eh bien ! vous ne savez pas, vous, et vous ne comprenez pas que vous, tous les Anges, tous les Archanges, les Dieux et les Seigneurs, tous les Archons, tous les grands Invisibles, tous ceux du milieu, ceux de tout le Lieu de ceux qui sont à droite ; tous les grands des émanations de la lumière avec toute leur gloire, vous êtes tous, les uns et les autres, de la même pâte, de la même matière, de la même substance, vous êtes tous du même mélange. Et de par l'ordre du premier mystère, on a pressé sur le mélange jusqu'à ce que tous les grands des émanations de la lumière avec toute leur gloire se soient purifiés, qu'ils se purifient du mélange, et qu'ils se purifient, non pas d'eux-mêmes, mais qu'ils se purifient par force, selon l'économie de cet Un unique, l'ineffable... » *Pistis Sophia, op. cit.*, p. 127.

210. « Je crois que l'esprit qui depuis maintenant cent ans déclare les vers des Chimères hermétiques est de cet esprit d'éternelle paresse qui toujours devant la douleur, et dans la crainte d'y entrer de trop près, de la souffrir lui aussi de trop près, je veux dire dans la peur de connaître l'âme de Gérard de Nerval comme on connaît les bubons d'une peste, ou les redoutables traces noires de la gorge d'un suicidé, s'est réfugié dans la critique des sources, comme des prêtres dans les liturgies de la messe fuient les spasmes d'un crucifié. Car ce sont les liturgies indolores et critiques du rituel des prêtres juifs qui ont provoqué les excoriations et tuméfactions du corps de ce certain homme un jour lui aussi pendu aux quatre clous de son calvaire, puis jeté dans un fumier de bœufs comme on donne du lard aux chiens. Et si Gérard de Nerval n'a pas été pendu au Golgotha, il s'est au moins pendu, et de lui-même, à un réverbère, comme la robe d'un corps trop frappé qui se pendrait à un vieux clou, et un vieux tableau désespéré mis au clou. » Antonin Artaud, *op. cit.*, 1974 (b), p. 187-188.

Heidelberg-Prévost-Montréal
hiver 1999–hiver 2000

BIBLIOGRAPHIE

La Bible, traduction d'André Chouraqui, Paris, Desclée de Brouwer, 1989.

Le Coran, traduction d'André Chouraqui, Paris, Robert Laffont, 1990.

Le deuxième traité du grand Seth, NH VII,2, Bibliothèque copte de Nag Hammadi, texte établi et présenté par Louis Painchaud, Québec, Presses de l'Université Laval, 1982.

Pistis Sophia, traduction de E. Amélineau, Milan, Arché, 1975.

Le Tonnerre, intellect parfait, NH VI,2, Bibliothèque copte de Nag Hammadi, texte établi et présenté par P. H. Poirier, Québec, Presses de l'Université Laval, 1995.

Antonin Artaud, *Œuvres complètes. Volume X : Lettres écrites de Rodez 1944-1945*, Paris, Gallimard, 1974(a).

Antonin Artaud, *Œuvres complètes. Volume XI : Lettres écrites de Rodez 1945-1946*, Paris, Gallimard, 1974(b).

Antonin Artaud, *Œuvres complètes. Volume XIII : Van Gogh le suicidé de la société — Pour en finir avec le jugement de Dieu*, Paris, Gallimard, 1975.

Antonin Artaud, *Héliogabale ou l'anarchiste couronné*, Paris, Gallimard, coll. « L'Imaginaire », 1979.

Charles Baudelaire, *Les fleurs du mal*, Paris, Librairie générale française, coll. « Livre de poche », 1972.

Samuel Beckett, *Comment c'est*, Paris, Minuit, 1961.

Albert Camus, *L'homme révolté*, Paris, Gallimard, coll. « Idées NRF », 1951.

Jean Cocteau, *Lettre aux Américains*, Paris, Grasset, coll. « Les cahiers rouges », 1949.

Jean Cocteau, *Romans, poésies, œuvres diverses*, Paris, Livre de poche, coll. « Classiques modernes », 1995.

Norman Cohn, *Les fanatiques de l'Apocalypse*, Paris, Payot, 1983.

Jacques Cossette-Trudel, « L'histoire séquestrée », *Liberté*, automne 1990, vol. 32 : 05.

Guy Debord, *La société du spectacle*, Paris, Gallimard, 1992.

Raphaël Draï, *L'économie chabbatique*, Paris, Fayard, 1998.

Luoar Raoul Duguay Yaugud, *Lapokalipsô*, Montréal, Jour, 1971.

Caghan Ebügen, *Les kapalas vides : encyclopédie du monde occidental*, 37 vol., Erdeni Zuu, Mongolie, Institut Rudrachakrin d'études québécoises, 1991.

Caghan Ebügen, *Odes à Akshobhya : visions biographiques de personnalités québécoises selon le Kalachakra*, Erdeni Zuu, Mongolie, Institut Rudrachakrin d'études québécoises, 1997 (prix Jeanne-Blackburn de la francophonie 1999, Salon du Livre du Saguenay–Lac-Saint-Jean).

Pierre Falardeau, *Le temps des bouffons et autres textes*, Montréal, Intouchables, 1994.

Front de Libération du Québec, *Manifeste octobre 1970*, Montréal, Publications du Quartier Libre, 1994.

Claude Gauvreau, *Œuvres créatrices complètes*, Montréal, Parti Pris, 1971.

Bruno Gay-Lussac, *L'heure*, Paris, Gallimard, 1979.

Bruno Gay-Lussac, *La nuit n'a pas de nom*, Paris, Gallimard, 1986.

Urbain Grandier, *Confessions en chaire*, Nîmes, Ingrand, 1846.

Grégoire le Grand, *Homélies sur Ezéchiel*, Livre 1, traduction de C. Morel, Paris, Cerf, 1986.

Ernesto Che Guevara, *Le socialisme et l'homme*, Paris, François Maspero, 1967.

Michel Houellebecq, *Rester vivant et autres textes*, Paris, Flammarion, coll. « Librio », 1997.

Michel Houellebecq, *Extension du domaine de la lutte*, Paris, J'ai lu, coll. « Nouvelle Génération », 1999.

Jean de la Croix, *Œuvres complètes*, traduction de mère Marie du Saint-Sacrement, Paris, Cerf, 1990.

Ernst Jünger, *Le travailleur*, traduction de J. Hervier, Paris, Christian Bourgois, 1989.

Søren Kierkegaard, *Traité du désespoir*, Paris, Gallimard, coll. « Idées NRF », 1949.

Guy Laflèche, *Les saints martyrs canadiens. Volume 3 : Le martyre de Jean de Brébeuf selon Paul Ragueneau*, Montréal, Singulier, 1990.

Rosa Luxemburg, *Œuvres I. Réforme sociale ou révolution ? Grève de masses, parti & syndicats*, traduction de I. Petit, Paris, François Maspero, 1976.

Mao Tsé-toung, *La guerre révolutionnaire*, Paris, Éditions sociales, 1955.

Jean-Paul Marat, *Les chaînes de l'esclavage*, Union générale d'éditions, coll. « 10-18 », 1972.

Thomas Merton, *La sagesse du désert : aphorismes des pères du désert*, traduction de M. Tadié, Paris, Albin Michel, 1987.

Jacques Monod, *Le hasard et la nécessité*, Paris, Seuil, 1970.

Friedrich Nietzsche, *Par-delà bien et mal*, traduction de C. Heim, Paris, Gallimard, coll. « Idées », 1971.

Vaslav Nijinski, *Cahiers*, traduction de C. Dumais-Lvowski et G. Pogojeva, Paris/Montréal, Actes Sud/Leméac, 1995.

Marc Pelletier, *Ibn 'Arabi : prophète et martyr*, Saint-Georges-de-Beauce, Éditions Katastrophe, 1934.

Victorin de Poetovio, *Sur l'Apocalypse, suivi du Fragment chronologique et de La construction du monde*, traduction de M. Dulaey, Paris, Cerf, 1997.

Mario Roy, « La culture de l'à-peu-près », *La Presse*, jeudi 2 mars 2000.

Donatien Alphonse François, marquis de Sade, *Les 120 journées de Sodome ou l'école du libertinage*, Paris, Union générale d'éditions, coll. « 10-18 », 1975.

Donatien Alphonse François, marquis de Sade, *La philosophie dans le boudoir ou les instituteurs immoraux*, Paris, Gallimard, coll. « Folio », 1976.

Jean-Joseph Surin, *Correspondance*, Paris, Desclée de Brouwer, 1966.

Jean Baptiste Marie Vianney, *Sermons du Saint Curé d'Ars*, 4 vol., Paris, Gabriel Beauchesne, 1925.

Matei Visniec, *Théâtre décomposé ou l'homme-poubelle*, Paris, L'Harmattan, 1996.

AVERTISSEMENT

(post-coïtal)

Réflexion faite, je maintiens ma décision de refuser le Prix du gouverneur général, mais accepterais par contre, et ce sans aucun remous de conscience, de vendre le manuscrit de ce recueil pour une rondelette somme aux Archives nationales (pays au choix) comme certaines putes à gougounes du Plateau (titre hautement honorifique auquel j'aspire moi-même, en tant que représentant de La Petite-Patrie, Poutinestadt, Absurdistan).